职业院校学前教育专业"十四五"系列教材

幼儿园教育活动设计与实施

主　编　王雪芳
副主编　涂　琳　李　丹
参　编　邢丹丹　黄　兰

华中科技大学出版社
http://press.hust.edu.cn
中国·武汉

内容简介

本书力求反映《幼儿园教育指导纲要(试行)》和《3~6岁儿童学习与发展指南》的教育理念,借鉴和吸纳当前国内外幼儿园教育活动设计与实施的最新研究成果,着重探讨如何从促进幼儿发展的角度设计并实施教育活动,旨在培养学生具有从事幼儿园教育活动设计与实施的基本理念和实践能力。为提高学习者理论联系实际的能力,本书呈现了比较丰富的案例,希望帮助学习者在掌握幼儿园教育活动设计与实施基本理论的同时,能够结合具体实例提升分析问题和解决问题的实践能力。

本书适合学前教育专业学生以及对幼儿园教育活动设计与实施感兴趣的读者阅读。

图书在版编目(CIP)数据

幼儿园教育活动设计与实施/王雪芳主编. —武汉:华中科技大学出版社,2023.8
ISBN 978-7-5680-9875-5

Ⅰ.①幼… Ⅱ.①王… Ⅲ.①幼儿园—教学活动—教学设计 Ⅳ.①G612

中国国家版本馆CIP数据核字(2023)第142747号

幼儿园教育活动设计与实施　　　　　　　　　　　　　　　王雪芳　主编
Youeryuan Jiaoyu Huodong Sheji yu Shishi

策划编辑:袁　冲
责任编辑:李　琴
封面设计:孢　子
责任校对:谢　源
责任监印:朱　玢

出版发行:华中科技大学出版社(中国·武汉)　　电话:(027)81321913
　　　　　武汉市东湖新技术开发区华工科技园　　邮编:430223
录　　排:武汉创易图文工作室
印　　刷:武汉市洪林印务有限公司
开　　本:787 mm×1092 mm　1/16
印　　张:10.25
字　　数:240千字
版　　次:2023年8月第1版第1次印刷
定　　价:39.00元

本书若有印装质量问题,请向出版社营销中心调换
全国免费服务热线:400-6679-118　　竭诚为您服务
版权所有　侵权必究

前言 Preface

"教育活动的计划与实施"是《幼儿园教师专业标准(试行)》中所提出的七大专业能力之一。"实施教育活动"是《学前教育专业师范生教师职业能力标准(试行)》中提出的保育和教育实践能力之一。"幼儿园教育活动设计与实施"是全国职业院校技能大赛(高职组)"学前教育专业教育技能"赛项的主要比赛项目之一。"教育活动的组织与实施"是《中小学和幼儿园教师资格考试标准(试行)》中"保教知识与能力"的主要考试内容之一。由此可见,幼儿园教育活动设计与实施是幼儿园教师必备的核心能力之一,幼儿园教育活动类课程是学前教育专业的核心课程。

本书注重理论与实践的融合,突出理论的系统性、实践的创新性,内容编排遵循学生的认知规律,体现了"岗课赛证"的深度融合。全书共分为四个单元,以幼儿园教育活动为主线,内容包括幼儿园教育活动概述、幼儿园分领域教育活动设计与实施、幼儿园主题活动设计与实施、幼儿园教育活动评价。每个单元设有"学习目标""真题导入""基础理论""探究活动""案例评析""真题演练"等几个部分,让读者有明确的学习目标,在学、思、练一体化过程中实现理论和实践的同步提升。书中所用案例除考虑教育性、科学性之外,还侧重从弘扬中华优秀传统文化的视角进行选择,让读者体会以中华优秀传统文化为主题设计与实施幼儿园教育活动的教育价值和乐趣,增强文化自信。

湖北职业技术学院王雪芳担任本书主编,负责全书的框架搭建、内容编写和统稿工作。全书编写分工如下:单元一、单元三由王雪芳编写,单元二由湖北职业技术学院涂琳编写,单元四由武汉城市职业学院李丹编写。孝感航天花园幼儿园邢丹丹参与案例的搜集与修改,湖北职业技术学院黄兰参与完成数字资源的搜集与制作。

本书通俗易懂,注重实用性、可操作性,既可以作为学前教育专业学生幼儿园教育活动类课程教学配套教材,又可以作为新入职幼儿园教师教育活动设计与实施能力培训教材。

  在本书的构思、编写过程中，参考、引用了诸多专家和学者的研究成果，以及幼儿园的活动方案、活动照片等。在此，深致谢忱！

  由于编写人员经验有限，加之时间仓促，本书仍存在不足，敬请读者批评指正。

编者

2023 年 4 月

目录 Contents

单元一 幼儿园教育活动概述 /1

 项目一 幼儿园课程 /1
 项目二 幼儿园教育活动 /5

单元二 幼儿园分领域教育活动设计与实施 /29

 项目一 幼儿园健康教育活动设计与实施 /29
 项目二 幼儿园语言教育活动设计与实施 /39
 项目三 幼儿园社会教育活动设计与实施 /51
 项目四 幼儿园科学教育活动设计与实施 /63
 项目五 幼儿园艺术教育活动设计与实施 /87

单元三 幼儿园主题活动设计与实施 /117

 项目一 幼儿园主题活动基本理论 /117
 项目二 幼儿园主题活动设计与实施 /119

单元四 幼儿园教育活动评价 /141

 项目一 幼儿园教育活动评价概述 /141
 项目二 幼儿园教育活动的评价内容 /144
 项目三 幼儿园教育活动的评价方式与方法 /148

参考文献 /156

单元一 幼儿园教育活动概述

学习目标

1. 理解幼儿园教育活动的概念，深刻认识幼儿园教育活动的内涵，清晰判断幼儿园教育活动的类别。

2. 基于幼儿本身的发展特点，理解幼儿园各领域教育的重要性、内涵、特点及意义，掌握幼儿园各领域教育的目标、内容、方法与途径。

3. 通过案例的学习，感受不同领域、不同类型、不同年龄段幼儿园教育活动的特点。

真题导入

幼儿园准备组织一次春游，大一班的小朋友很高兴，有的说要去这里玩，有的说要去那里玩；有的说坐地铁去，有的说还是乘汽车好；有的在谈论自己要带什么美食……陈老师想，既然小朋友有这么多问题，那么是否可以生成一个教育活动，带着小朋友一起研究解决这些问题呢？

要求：请帮助陈老师设计一个名为"我们要去春游了"的教育活动，写出活动目标、活动准备和活动过程。

基础理论

项目一　幼儿园课程

课程是指学校学生所应学习的学科总合及其进程与安排。广义的课程是指学校为实现培养目标而选择的教育内容及其进程的总和，包括学校所教的各门学科和有目的、有计划的教育活动。狭义的课程专指一门学科。课程是学校教育的基础，课程改革是当代教育改革的核心。

幼儿园课程是实现幼儿园教育目的的手段，是帮助幼儿获得有益的学习经验，促进幼儿身心全面和谐发展的各种活动的总和。

一、幼儿园课程的特点

(一)课程目标的全面性、启蒙性

幼儿园课程的目标是促进幼儿在身体、认知、情感、个性、社会性等方面的全面、和谐发展,其首要目标是身体发展。因此,课程目标的设置要使幼儿在原有发展水平的基础上能够得到与其发展水平相适宜的发展和提升,而不是盲目追求过高的目标,尤其是过高的认知方面的目标。

(二)课程内容的生活性、浅显性

幼儿身心发展的特点和规律决定了他们感兴趣的学习才是效果最好的学习,能够被他们感知的,具体、形象的内容才是最合适的课程内容。幼儿园课程内容的选择与幼儿现实生活联系越密切,就越能激发他们的学习兴趣,幼儿的学习效果也就越好。

(三)课程结构的整体性、综合性

幼儿的发展是一个整体,幼儿身心发展的各个领域是密不可分、相互促进的。因此,幼儿园课程结构应该是整体的、综合的,要最大可能地使不同的课程内容之间产生联系,以促进幼儿的学习迁移,进而使幼儿以整体的人的面貌面对完整的生活、经验,而不是用成人的视角和方式划分幼儿应当获取的学科知识、经验。

(四)课程实施的活动性、经验性

为幼儿创设丰富的活动场景。构建有利于幼儿自主活动的氛围,创造各种互动的机会,提供与其发展相适应的帮助,是幼儿园课程实施的关键。幼儿学习的特质决定了游戏是幼儿园课程实施的重要形式。幼儿园课程与幼儿生活是密不可分的,因此,幼儿园课程的实施是情境性的、参与性的和操作性的。

(五)课程本身的特殊性、不可替代性

幼儿园是为处于人生发展起始阶段的幼儿特设的教育机构,幼儿园教育的对象处于特殊发展阶段,需要特殊的课程、独特的方法和特别的教师,是其他教育方法不可替代的。幼儿教育的特殊性、不可替代性决定了幼儿园课程也具有特殊性和不可替代性。幼儿园课程是一种多样性的、参与性的课程,而不是书面的学科课程。幼儿的学习特点和心理特点决定了幼儿的学习区别于其他年龄阶段学生的学习。幼儿的学习不是进行系统的学科知识的学习,而是通过多种形式的信息和途径开展学习。

二、幼儿园课程的价值取向

幼儿园课程是实现幼儿园教育目标的主要途径。幼儿园课程既要顺应幼儿的自然发展,又要有效地将幼儿纳入社会、文化所要求的轨道,两者缺一不可。在幼儿园课程中,"顺应幼儿自然发展"主要是通过幼儿游戏得以实现,而"将幼儿发展纳入社会、文化所要求的轨道"主要是通过教师教学得以实现。

通常情况下，由于各种幼儿园课程中幼儿园教育价值存在的差异性，不同的学前教育机构在对待和处理游戏和教学的关系问题时一般会表现出以下几个方面不同的取向。

(1) 从社会的视角看，高福利国家的学前教育机构会更多关注幼儿游戏，高竞争国家的学前教育机构会更多关注教师的教学。

(2) 从政治的视角看，在民主分权的政治体制中，学前教育机构会更多关注幼儿游戏；在中央集权的政治体制中，学前教育机构会更多关注教师的教学。

(3) 从文化的视角看，西方文化中的学前教育机构会更多关注幼儿游戏，东方文化中的学前教育机构会更多关注教师的教学。

(4) 从经济的视角看，教育资源丰富的学前教育机构会更多关注幼儿游戏，教育资源贫乏的学前教育机构会更多关注教师的教学。

(5) 从服务对象的视角看，对于富裕家庭背景的幼儿，学前教育机构会更多关注幼儿游戏；对于贫困家庭背景的幼儿，学前教育机构会更多关注教师的教学。

(6) 从幼儿园教师的视角看，教师专业水平较高的学前教育机构会更多运用游戏与教学相互融合的方式组织和实施幼儿园教育活动；相反，教师专业水平较低的学前教育机构会更多运用游戏与教学相互分离的方式组织和实施幼儿园教育活动。

由于时代在进步，社会在发展，文化在变迁，人的价值取向也会随之发生变化，于是幼儿园课程的价值取向也会应时、应地、应人而产生相应的变化。这样的变化反映在幼儿园课程的编制以及幼儿园教育活动的设计和实施上，必然导致对幼儿园游戏和教学关系的重新权衡。

因此，多年来幼儿园课程的编制者以及幼儿园教育活动的设计者和实施者一直处于游戏（玩）与教学（教）的两难选择中；他们在两难关系中寻求平衡，以应对幼儿园教育理论与实践需要解决的问题；他们在处理游戏（玩）与教学（教）的两难关系中求得进步，获得自身的专业发展。

三、幼儿园课程的组成要素

与其他各级、各类教育的课程一样，幼儿园课程中也包含着课程目标、内容、方法和评价等组成要素，以及隐藏在其中的教育理念。

(一)幼儿园课程的教育理念

幼儿园课程的最为核心的要素是课程所依据的教育哲学以及所反映的教育目标，这是幼儿园课程的价值取向所在，幼儿园课程的其他组成要素，包括课程目标、内容、方法和评价都是在此基础上产生和发展的。

各种幼儿园课程之间的差异主要反映在所依据的教育哲学和所确定的教育目标上，表现为强调两种目标取向中的某一种——是培养幼儿一般的社会性，还是进行某种目标的学习，特别是在学业领域中的学习。其差异还表现在对教育为未来生活做好准备的解释的不同，一种解释主张幼儿在成人期获得成功最为重要的保证是获取以幼儿为中心的生活经验，课程计划应源于对幼儿发展特征的分析，并与幼儿的需要和兴趣相一致，这意味着中、小学的课程应与幼儿园课程相适应;另一种解释则主张学前教育应为幼儿在成人以后的成功打下基础,幼儿园课程应与当今教育制度保持连续性,特别强调要为幼儿提出有序的教育要求,为幼儿进入小学做好准备,这意味着幼儿园课程应与中、小学课程相贯通。

如果运用简化的方法反映幼儿园课程所持有的基本理念,那么,任何幼儿园课程都可以在一个"连续体"上找到一个合适的位置。这个连续体的一个极端是,学前教育完全为的是"顺应幼儿的自然发展"和"让幼儿获得一般能力";另一个极端是,学前教育完全为的是"让幼儿完成教师预定的教学任务"和"让幼儿获得学业知识和技能"。在课程所持有的教育理念上,各种幼儿园之间的差异主要反映在是"对幼儿自然发展和获得一般能力的强调",还是"对教师教授的学业知识、技能的强调",以及强调的程度如何等方面。

```
顺应幼儿的自然发展          让幼儿完成教师预定的教学任务
让幼儿获得一般能力          让幼儿获得学业知识和技能
◁──────────────────────────────────────────▷

         对幼儿自然发展和获得一般能力的强调
         ◁──────────────────────────────▷
         对教师教授的学业知识、技能的强调
              幼儿园课程的教育理念
```

(二)幼儿园课程的目标、内容、方法和评价

幼儿园课程的目标能确定幼儿园课程的方向,幼儿园课程的内容和方法是实现幼儿园课程目标的手段,而幼儿园课程评价是对课程的价值做出判断的过程。

如果幼儿园课程强调教师教授的学业知识和技能,强调为幼儿进入小学做好学业上的准备,那么幼儿园课程会被看成学科或科目,课程的目标以幼儿获得预期的行为变化为主要取向,课程的内容以学科的逻辑体系加以选择和组织,课程实施以集体的、传递的方式进行,课程的评价则以客观的结果是否达成作为评定标准。

以强调教师教授的学业知识和技能为主要价值取向,幼儿园课程必定会注重课程标准的制定,注重教科书的编写,注重教师专业技能的训练,并注重按统一的标准评价幼儿园的教育质量。

如果幼儿园课程强调顺应幼儿的自然发展,强调幼儿一般能力的获得,那么幼儿园课程会被看成幼儿在幼儿园中所获得的全部经验,课程的目标会以幼儿在活动中获得的经验为主要取向,课程的内容会围绕幼儿的生活经验而展开,课程的实施多以个体或小组的方式进行,课程的评价则以教师的自我评价为主而得以实施。

以强调顺应幼儿的自然发展和幼儿一般能力的获得为主要价值取向,幼儿园课程必然会注重幼儿自身活动,特别是游戏活动,注重幼儿园环境的创设,注重教师对幼儿发展和幼儿学习规律的把握,并注重运用过程评价为主的方式评价幼儿园的教育质量。

项目二 幼儿园教育活动

幼儿园的教育内容是全面的、启蒙性的,可以相对划分为健康、语言、社会、科学、艺术等五个领域,也可做其他不同的划分。各领域的内容相互渗透,从不同的角度促进幼儿情感、态度、能力、知识、技能等方面的发展。

幼儿园的教育是为所有在园幼儿的健康成长服务的,要为每一个幼儿,包括有特殊需要的幼儿提供积极的支持和帮助。

任务一 幼儿园教育活动的含义、特点与分类

一、幼儿园教育活动的含义

幼儿园课程由幼儿园各种类型的教育活动组成。2001年,教育部颁布的《幼儿园教育指导纲要(试行)》(以下简称《纲要》)第三部分"组织与实施"第二条指出,幼儿园的教育活动,是教师以多种形式有目的、有计划地引导幼儿生动、活泼、主动活动的教育过程。广义地说,幼儿园教育活动包括在幼儿园内所发生的一切活动,如游戏活动、教学活动、生活活动、运动等,对幼儿而言,这些活动的界限是不清晰的,经常是"你中有我,我中有你"。狭义地说,幼儿园教育活动主要有游戏和教学两大类活动。

二、幼儿园教育活动的特点

《纲要》指出,(幼儿园)教育活动内容的组织应充分考虑幼儿的学习特点和认知规律,各领域的内容要有机联系,相互渗透,注重综合性、趣味性、活动性,寓教育于生活、游戏之中。可见,幼儿园教育活动具有整体性、生活性、趣味性等特点。

(一)整体性

加拿大《早期幼儿学习报告》(2007)指出,早期的学习和发展必须以幼儿身体的、情感的、认知的、社会性的全面发展为基础。也就是说,幼儿的学习与发展具有整体性。在人生初期,全面的、协调的发展是十分重要的,任何一方面的发展都依赖于其他方面的相应发展,任何一方面的偏废都将伤害幼儿整体的发展。因此,为适应幼儿学习和身心发展的特点,幼儿园教育活动应该具有高度的整体性,通过综合、全面的整体性教育活动来促进幼儿全面和谐发展。

幼儿园教育活动的整体性集中体现在幼儿的生活和游戏中。幼儿的生活和游戏天然具有整体性,自然而然地融合了各个领域的知识。幼儿在各领域的学习与发展也在其生活和游戏中自然地发生并一体化地进行。因此,与幼儿共同生活或游戏可以帮助幼儿综合地学习多个领域的内容,实现多方面发展的目标。

(二)生活性

幼儿的学习与发展是在一日生活中进行的。一般来说,幼儿以自己的生活为主要学习对象,又以自己的生活为主要学习途径,并以更好地适应生活为学习目的,即幼儿为了学会生活,通过生活来学习生活。学习与生活相互交融,学习、生活、发展三位一体,乃是幼儿学习的最大独特之处,是与中小学生不同的地方。

首先,生活性体现在幼儿园教育活动的内容上。我国著名教育家陶行知提出了"生活即教育"的理论。美国著名教育家杜威认为,教育即生长,教育即生活。幼儿园教育活动必须关注幼儿的现实生活,在教育的内容上注重与幼儿的生活世界相沟通,与幼儿的经验、需要相联系,而不仅仅是纯粹从知识或学科本身的结构或重难点出发。譬如数学教育活动,"生活中的数学""应用性数学"已经成为《纲要》颁布以来被幼教界广泛认同的关键口号,教师以及活动设计者不仅重视帮助幼儿从生活中寻找、捕捉数学的内容,同时注重引发幼儿关注生活中的数学问题并学习用数学思想解决生活中的问题。

其次,生活性体现在幼儿园教育活动的途径上。《3~6岁儿童学习与发展指南》(以下简称《指南》)指出,幼儿的学习是以直接经验为基础,在游戏和日常生活中进行的。要珍视游戏和生活的独特价值,创设丰富的教育环境,合理安排一日生活,最大限度地支持和满足幼儿通过直接感知、实际操作和亲身体验获取经验的需要。这一方面指明幼儿园一日生活各环节中都蕴含着丰富的学习与发展契机,教师应有意识地使每一个环节都促进幼儿的学习与发展,如入园环节渗透着健康领域(情绪安定、愉快等)、语言领域(具有文明的语言习惯等)、社会领域(喜欢并适应群体生活等)等的学习;另一方面指明幼儿园教育活动的设计和开展应采用结合生活情境的方式,让幼儿通过直接感知、实际操作和亲身体验进行更主动、积极的探索和学习。

最后,生活性还体现在幼儿园教育活动的环境上。在实施教育活动时,应突破有限的"活动室"空间,走进无限的"大社会"空间。这种"大社会"空间既可以是大自然的活课堂——树林、山坡、菜园、牧场等自然科学类的教育活动场所,又可以是博物馆、科技馆、展览会、建筑群等人文德育类的教育活动场所。

(三)趣味性

"寓教于乐"——幼儿园教育活动首先要让幼儿感到"乐",他们喜欢玩、愿意探索,才能产生教育效果。"好玩"是吸引幼儿投入活动的最直接而朴素的缘由,"会玩"是幼儿通过活动得到发展的体现。因此,趣味性成为幼儿园教育活动的一个显著特点,主要体现为活动内容的趣味性、活动形式的趣味性以及活动材料的趣味性等。

首先,教师在选择、组织教育活动时,无论在内容还是形式上,都要注重趣味性。只有这样,才能迎合幼儿的天性,唤起幼儿的兴趣,引发幼儿的探究。例如,体育活动"踩石头过河""厨师烤香肠"等都是通过趣味游戏的方式训练幼儿的动作技能;幼儿初学绘画时,通过"小鸡吃米"练习画点、通过"绕毛线"练习画线条等。

其次,趣味性体现在活动环境和材料的趣味性上。新奇多变、可供操作的环境和材料可以吸引幼儿的注意力,激发幼儿的探究欲望,满足幼儿的好动天性,引发幼儿的思考。例如,为了帮助幼儿学习扣纽扣,教师提供"毛毛虫"的材料,幼儿通过扣纽扣把一条毛毛虫组装好,很有成就感;后期,教师又把数的概念巧妙地融入其中,让幼儿在操作中学习数的分合。类似这种趣味性的材料能吸引幼儿,使他们带着强烈的兴趣与环境材料互动。

三、幼儿园教育活动的分类

(一)按活动特征分类

根据不同的特征,幼儿园教育活动可以分为生活活动、游戏活动、分领域集体教育活动、区域活动、户外活动等。

一日生活流程

1. 生活活动

生活活动是指幼儿园一日生活中的进餐、饮水、睡眠、盥洗、如厕等。一日生活中的各个环节都潜藏着众多的教育机会。它是培养幼儿良好行为习惯的主要途径,如饭前便后洗手、多喝水等良好习惯的养成;它是培养幼儿社会性的主要途径,如分享、合作等品质的养成;它为对幼儿进行个别教育提供了最佳时机,如不良习惯的纠正等。因此,在生活活动中,教师要根据幼儿的身心特点建立合理的生活常规,逐渐培养幼儿生活自理、自立的良好习惯;要善于抓住教育机会,与幼儿进行交流与互动等。

一日生活流程图

2. 游戏活动

游戏活动是由幼儿内在动机引起的、以活动本身而非活动目的为导向的、具有愉悦性和内在规则性的一种自主自愿的活动。游戏对于幼儿正如空气和飞翔对于鸟儿一样重要。游戏是学前儿童最喜爱的活动,也是其学习的主要方式。游戏可以有效地促进学前儿童身体、心理、社会性等各方面的发展。幼儿园要"以游戏为基本活动",这既是我国学前教育改革中的一个重要命题,又是我国幼儿园课程改革的重要指导思想。从1996年起正式实施的《幼儿园工作规程》,到2001年颁布的《纲要》,再到2010年颁布的《国务院关于当前发展学前教育的若干意见》,"以游戏为基本活动"的提法在这些文本中都得到了着重强调,可见游戏活动的重要性。

3. 分领域集体教育活动

分领域集体教育活动是教师有目的、有计划地组织的,班级所有幼儿都参加的教育活动。它包括教师预设的和生成的教育活动,单独的一节"课"和围绕一个主题展开的一系列活动,全班一起进行的和分小组同时进行的教育活动。在分领域集体教育活动中,教育过程的有效性是教育者需要加以关注的重点。

4. 区域活动

区域活动又称"活动区活动""区角活动""兴趣区活动""活动区教育""个别化学习活动"等,以幼儿的需要、兴趣为主要依据,考虑幼儿教育的目标、正在进行的其他教育活动等因素,划分一些区域,在其中投放一些合适的活动材料,制定活动规则,让幼儿自由选择区域,在其中通过与活动材料、同伴等的积极互动，获得个性化的学习和发展。幼儿园区角活动的分类没有统一的模式，一般按活动内容分类，也有以材料投放的形式让幼儿自主分区的。

5. 户外活动

户外活动是一种有目的、有计划地利用多种材料，采取多种形式，在户外开展的活动。它包括体育活动、早操、户外游戏、沙水、种植、饲养等活动。《指南》指出，幼儿每天的户外活动时间一般不少于两小时，其中体育活动时间不少于一小时。户外活动对幼儿发展的价值不言而喻。它不仅能培养幼儿对运动的爱好，帮助幼儿养成经常、自觉地到户外锻炼身体的好习惯，促进幼儿身体生长发育，发展幼儿的基本动作和技能，增强幼儿对外界环境变化的适应能力，还能够带给幼儿愉悦感和满足感，促进幼儿的社会情感健康发展，如更自信、更愿意迎接挑战、更具有竞争意识、更合群、更不怕困难等。

生活活动、游戏活动、分领域集体教育活动、区域活动、户外活动等构成了幼儿园教育活动这个有机整体。它们相互联系，相互渗透，有机结合，共同促进幼儿身心和谐发展。

(二) 按课程类型分类

从课程类型的角度，可以将幼儿园教育活动分为学科(领域)活动、主题活动和经验活动。

1. 学科(领域)活动

学科(领域)活动是指按照学科(领域)的逻辑组织的活动，往往以某一学科(领域)的经验为主，也可能兼顾其他学科(领域)的经验。各学科(领域)活动之间往往前后联系，相互衔接。

2. 主题活动

主题活动是围绕某一事件或现象所组织的综合性活动。活动按照事件或现象本身的逻辑展开，会涉及多个领域的经验。

3. 经验活动

经验活动是根据幼儿发展的不同经验确定相应的活动区域和操作材料，引发幼儿探索、交往和表达，从而使幼儿获得相应经验的活动。

值得注意的是，并不是只有主题活动才能够体现整体性，其他侧重某领域的活动就不能体现整体性。实际上，任何形式、任何内容的教育活动都能够、也必须遵循幼儿学习与发展的整体性。问题的关键不在于教育活动的组织形式，而在于教师是否真正地理解与尊重幼儿发展的整体性规律，把每位幼儿作为需要全面发展的"人"来培养。若某个单一领域的活动能秉持"幼儿为本"的理念与教育思想，其也能整体地促进幼儿的学习与发展；相反，若一个主题活动只是将各个领域活动机械地拼凑在一起，其也无法达到促进幼儿整体发展的目的。

(三) 按领域分类

《纲要》在"教育内容与要求"中明确规定，幼儿园的教育内容是全面的、启蒙性的，可以相对划分为健康、语言、社会、科学、艺术等五个领域，也可做其他不同的划分。各领域的内容相互渗透，从不同的角度促进幼儿情感、态度、能力、知识、技能等方面的发展。在幼儿园的教育活动中，五大领域的分界应该是相对模糊且自然的，内容的处理应更加注重相互渗透和整合。

(四)按性质分类

根据不同的性质,幼儿园教育活动可以分为幼儿自主生成的教育活动和教师预先设置的教育活动两类。前者更关注幼儿的兴趣、学习需求,是在幼儿偶发性的探究和兴趣的支配下产生内部动机的需求,教师引导和帮助幼儿生成某个主题的活动,如一只蚕蛾的死引发了一群幼儿主动探究,在商讨后,班里展开了"蚕的一生是怎样的""蚕蛾破茧而出后会做什么事""昆虫界有哪些别的昆虫也有类似的情况"等一系列活动;后者更强调教师的计划组织和直接指导,是在教师设定教育活动目标、提供活动环境和材料并有计划地实施指导下的活动。

(五)按组织形式分类

根据不同的组织形式,幼儿园教育活动可以分为集体活动、小组活动和个别活动。

1. 集体活动

集体活动是教师有目的、有计划地组织的,班级所有幼儿都参加的一种教育活动。从理论上看,它具有一些优势,如高效、经济、公平,对幼儿学习和发展的引领性强,系统性强,能够形成学习共同体,培养集体感。但是这些优势只是一种理论上的可能性,并不具有必然性。这些优势的实现需要一定的前提条件。例如,集体活动高效、经济的优势只有在活动内容能唤起全班幼儿的学习兴趣、能衔接他们的已有经验时才能发挥;公平性只有在教学过程中充分照顾幼儿的个体差异时才能真正体现;引领性、系统性只有在教师充分了解幼儿学习与发展的规律,了解所教内容的逻辑关系,并以此为基础恰当地设计和组织教学时才能实现等。

2. 小组活动

小组活动既可以是教师创设一定的环境,提供相应的材料并给予一定间接影响的教育活动,又可以是幼儿自发的活动,如集体活动之后的分组活动、活动区活动等。划分小组的方式有很多种,可以按幼儿的发展水平分组,把水平相近的幼儿分为一组,对各水平层次的幼儿提出不同的教育要求;可以按幼儿的兴趣分组;也可以按操作材料的种类和数量分组,让幼儿轮流尝试。在同一时间内可以开展几组活动,教师轮流指导或以指导某一组为主,兼顾其他各组。小组活动的优势在于,幼儿可以在较为宽松的环境中,在同一时间单元里选择不同的活动内容,与同伴相互交往、讨论、合作和分享经验,同时主动积极地操作材料,按自己的速度和方式去完成所要求做的事,获得更多的表现机会;教师可以对幼儿进行观察、了解,从而达到因材施教的目的。但是小组活动在实施的过程中也会遇到一些困难,如这种形式要求幼儿具有一定的交往合作能力,否则优势就无法体现。

小组活动具体又可分为以下两种情况。

(1)同一内容、同一要求、同一方法的分组。如认识物体的沉浮现象时,教师准备好若干份基本相同的操作材料,交代清楚任务,让幼儿分组进行探讨。教师主要观察、了解幼儿的活动情况,给予必要的帮助和指导,最后对幼儿的学习情况进行归纳和总结。

(2)同一主题、不同内容的分组。虽然全班学习的主题是同一个,但每组活动的具体内容有所不同,每组从一个角度探讨一个问题,最后大家通过交流、分享获得有关这个主题较为完整的学习经验。如在一次大班活动"新年的活动室"中,幼儿有的做拉花,有的剪纸,有的画春联,最后大家齐心协力地创设出一个具有节日气氛的活动环境。

3. 个别活动

个别活动是由一位教师面对一两位幼儿进行指导的活动,既可以是幼儿自发、自由的活动,又可以是根据个别幼儿的特殊需要安排的教学活动。个别活动一般包括对具有特殊才能或有发展障碍幼儿的个别教育以及个别幼儿自由选择的活动区活动。

个别活动的优势在于:可以满足每位幼儿的兴趣、需要,使幼儿充分展现个性,学习自我管理,使教师可以关注到每位幼儿的个别差异,因材施教。个别活动也存在一些缺陷:费时费力,对班级人数的规模有限制,人数过多时就无法开展个别活动。

在集体活动中,教师以直接指导的方式与全体幼儿互动,幼儿之间也产生相互的影响;在小组活动中,教师的角色略有变化,以或直接或间接的方式与幼儿互动,幼儿之间同样存在同伴互动的关系;在个别交往的区域学习活动中,教师更多地通过点拨性的语言、环境的设置和材料的更替来调控活动,并与幼儿进行间接性的互动。无论是哪种类型的活动,教师和幼儿都是合作学习的参与者,可以互相产生积极的影响。

集体、小组、个别活动有着不同的教育功能、适用范围,不能简单地认为哪种活动一定好或不好。三者必须互相配合、合理交替、互相补充。教师应该根据不同的教育目标及内容、不同的年龄段及本班幼儿的具体情况选择不同的教育组织形式。如大班科学活动"气球小车动起来"中,教师根据具体情况选择集体活动和小组活动。

(六)按学习方式分类

根据不同的学习方式,幼儿园教育活动可以分为探究式学习、合作式学习、体验式学习和接受式学习四种典型的基本模式。幼儿的探究式学习主要有问题探究和实验探究的形式,教师可以从问题引入来组织探究,再进行解释、概括与反思、深化。合作式学习主要有师幼互动、幼幼互动、全员互动等形式,通过教师先导、组内互动、组际互动等促进幼儿学习。体验式学习通过实景、实物的实境体验,以及语表情境、音乐渲染、生活情境、角色扮演的模拟体验等方式深化幼儿的经验。接受式学习并不是字面意义上的学科式教学,而是以经验为基础选择学习内容,根据学习规律设置学习程序,基于过程取向开展评价,围绕幼儿的经验水平开展层层递进的活动。

任务二 幼儿园教育活动的基本要素

一、幼儿园教育活动目标的制定

幼儿园一日活动皆是课程,每日活动均安排不同类型的教育活动,课程规划必须合乎教育目标。目标是人们想要达到的境地或标准。在各领域活动中,目标是指导活动的准则,可以赋予活动设计和实施的方向。在教育活动设计和实施过程中,教育目标起着引领和导向的作用。

(一)制定幼儿园教育活动目标的依据

1. 幼儿的发展

研究幼儿,把握幼儿的身心发展需要和发展规律,能使教育者获得有关课程目标制定的有用信息。幼儿心理是有年龄特征的,即幼儿在一定年龄阶段中的那些一般的、典型的、本质的心理特征,它是从许多具体的、个别的幼儿心理发展的事实中概括出来的,是一般的东西、典型的东西、本质的东西。例如,幼儿从出生到成熟的六个时期中,每个时期的社会性和品德发展都有一个一般的、典型的、本质的特征:乳儿期主要是适应时期;婴儿期为品德的萌芽时期,是一个以"好"与"坏"两义性为标准的品德时期;学前期主要是情境性品德发展阶段;学龄初期是品德发展协调性阶段;少年期为动荡性品德发展阶段;青年初期品德发展的明显特点是成熟性。这些特征给我们设计幼儿园课程目标提供了心理学基础。

2. 社会的发展

幼儿是在社会生活中逐渐走向社会化的。布朗芬布伦纳的生态系统理论模型将人生活于其中并与之相互作用的不断变化的环境称为行为系统。该系统分为四个层次,由小到大分别是:微观系统、中间系统、外层系统和宏观系统。社会发展影响着幼儿的发展,幼儿的个体发展总是与社会发展交织在一起。

布朗芬布伦纳生态系统理论模型

3. 幼儿教育领域知识的特点

知识是人类认识世界的成果,可以帮助幼儿更好地认识自然、认识社会、认识自己,形成一套判断是非对错、判断世间善恶的标准,掌握有效的行动方式。幼儿应该掌握什么知识,主要取决于这些知识所蕴含的教育价值。因此,知识的发展和属性是课程目标制定的重要依据。

4. 国家及地方的政策要求

教育活动是实现幼儿园教育目标的重要内容,因此,在制定幼儿园教育活动目标时必须考虑幼儿教育总目标的要求。例如,2016年颁布的《幼儿园工作规程》中提出幼儿园保育和教育的主要目标是:促进幼儿身体正常发育和机能的协调发展,增强体质,促进心理健康,培养良好的生活习惯、卫生习惯和参加体育活动的兴趣;发展幼儿智力,培养正确运用感官和运用语言交往的基本能力,增进对环境的认识,培养有益的兴趣和求知欲望,培养初步的动手探究能力;萌发幼儿爱祖国、爱家乡、爱集体、爱劳动、爱科学的情感,培养诚实、自信、友爱、勇敢、勤学、好问、爱护公物、克服困难、讲礼貌、守纪律等良好的品德行为和习惯,以及活泼开朗的性格;培养幼儿初步感受美、表现美的情趣和能力。这些规定是制定幼儿课程目标的重要参考。不同时期出台的一些政策法规,在制定幼儿教育活动目标时要充分考虑。

总之,在制定幼儿园教育活动目标时,要综合考虑幼儿自身、社会、学科和政策法规等方面的因素,科学地设置目标。

(二)幼儿园教育活动目标的表述

1. 幼儿园教育活动目标表述的结构要合理

根据布鲁姆的《教育目标分类学》,课程目标可以分为三大类。第一,认知领域,包括知识的掌握和认知能力的发展,分为知识、领会、应用、分析、综合、评价六个层次。第二,情感领域,包括兴趣、态度、习惯、价值观念和社会适应能力的发展,分为接受、反应、价值、组织、性格化五个层次。第三,动作技能领域,包括感知动作、运动协调、动作技能的发展,涉及反射动作、基本动作、知觉动作(动觉、视觉、听觉、协调)、体能(耐力、力量)、敏感性、技巧技能(各种适应能力)和有意沟通(表现动作、创造性动作)等方面。

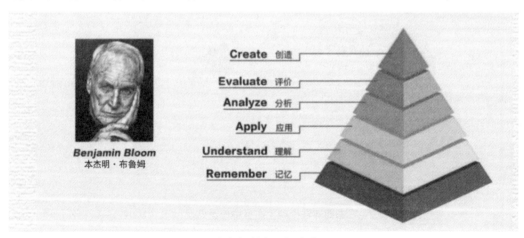

布鲁姆教育目标分类

2. 幼儿园教育活动目标表述的难度要适中

目标表述的难度要求适中,即目标的设定要符合幼儿的年龄特征和个性特征,同时要兼顾地域文化的多样性,要根据最近发展区的原理来设定目标。

3. 尽量站在幼儿的角度来表述教育活动目标

(1) 从教师的角度表述。

从教师的立场出发,描述教师对幼儿发展的预期结果,指明教师应该做的工作或应该努力达到的教育效果。通常我们会用到的关键词有鼓励、培养、引导、激发、帮助等。例如,中班活动"弟弟追小鸡"的活动目标:①在体验和理解作品内容的基础上,引导幼儿有感情地念诗歌;②激发幼儿同情、爱怜小动物的情感。

(2) 从幼儿的角度表述。

从幼儿的立场出发,描述通过该课程的学习,幼儿应达到的水平以及应该掌握的知识。一般会用到的关键词有:

①知识技能方面:了解、学会、理解、能够、掌握、运用等。

②情感态度方面:感受、喜欢、乐于、愿意等。

4. 教育活动目标表述需要注意的相关事项

①表述要清晰、明确,操作性强,一定要避免过于笼统和抽象,同时要注意与上层目标的紧密关系。例如,大班美术活动"漂亮的小汽车"的目标:了解汽车的组成部分,大胆尝试涂色;遵守"红灯停,绿灯行"的交通规则。这里的目标就做到了具体化,而不是笼统地概括为遵守交通规则。

②目标的涵盖面广,应包括知识技能培养、情感态度和能力的发展。目标可以有侧重点,但提倡兼顾各个方面。

③目标要有代表性,每一条均是单独的内容,不要有交叉重复。

④活动目标的数量一般以三条最为合适。目标的顺序可以按重要程度、难易程度、活动进行的顺序等进行排序,也可以按知识、能力、情感方面分别阐述目标,不刻意追求目标顺序。

二、幼儿园教育活动内容的选择与编排

(一) 幼儿园教育活动内容选择的原则

1. 目标性原则

幼儿园任何教育活动皆应符合课程目标。教师须理解教育活动内容与课程目标之间的关联性与一致性,便于有效地开展活动。事实上,教育活动内容与课程目标并非一一对应的关系,一项教育活动目标往往需要多项内容才能实现。例如,艺术领域"我爱我家"活动,其课程目标不仅是使幼儿通过绘画心目中家的面貌,体验绘画的兴趣,还可以引导幼儿通过观察房子等建筑,提升其观察能力、图形组合能力,同时激发幼儿喜爱自己的家与家人的情感,促进家庭和谐。

2. 适宜性原则

《纲要》指出,教育活动内容的选择应既适合幼儿的现有水平,又有一定的挑战性。换言之,幼儿园教育活动内容须适应幼儿年龄特点和发展规律,建立在幼儿学习与发展的基础之

上，结合幼儿能力、兴趣、性格等，既符合幼儿一般年龄特点，又能根据个别差异进行因材施教，引发幼儿的学习动机，增加其主动参与的机会。

在健康领域，教育活动内容须按幼儿的发展水平选择适当的活动方式。例如，锻炼幼儿手部动作的灵活协调，小班幼儿可以用手握笔涂画，练习手拿勺子吃饭或是手持剪刀沿直线剪裁；中班幼儿可以用手握笔沿边线画出简单图形，会用手拿筷子吃饭，或是手持剪刀能沿轮廓线剪出直线构成的简单图形；大班幼儿能用手握笔流畅地画出图形线条，能熟练地用手拿筷子吃饭，或是手持剪刀沿轮廓线剪出曲线构成的简单图形，能使用简单的劳动用具。

3. 持续性原则

《纲要》指出，幼儿园教育是基础教育的重要组成部分，是我国学校教育和终身教育的奠基阶段。城乡各类幼儿园都应从实际出发，因地制宜地实施素质教育，为幼儿一生的发展打好基础。因此，幼儿园教育活动内容选择不仅要反映当代社会科技进步成果，体现时代特征，萌发求知欲和探究欲望，增进人与人之间的交流，更要重视学习内容本身的广泛性、基础性、整合性、生活性等，为幼儿今后可持续学习与发展奠定扎实的基础。

4. 生活性原则

幼儿园一日生活皆是课程，其教育活动内容的最大特点即贴近幼儿生活，教师须从日常活动、自然环境、文化习俗与社会等与幼儿相关的题材来设计教育活动内容，激发幼儿学习动机与兴趣，使幼儿在活动中自我探索或是发现学习，从而获得相关知识，将习得的知识融入生活情境中。

例如，带鱼是日常生活中常见的一种鱼类，由于鱼刺较少，幼儿园常常将其作为丰富幼儿饮食结构、给幼儿补充优质蛋白质及矿物质等营养元素的午餐食材，其鲜嫩的口感颇受幼儿喜爱。但是，幼儿常见的带鱼是已经被烹饪成菜肴的形态，大多数情况下无法看到带鱼未加工时的自然形态特征。因此，科学领域的活动"鱼"，教师以带鱼为例，带幼儿到菜市场买鱼，通过观察实物的活动环节让幼儿近距离地看一看、摸一摸、闻一闻，帮助幼儿直观地了解带鱼的形态特征，从真实的生活中学习，促使幼儿掌握鱼类的基本常识。

5. 统整性原则

根据《指南》要求，幼儿园课程按五大领域教学。幼儿由于身心发展呈未分化的状态，对于外在的各种事物的观察都是整体性的，多应用直觉思维和形象思维，因此教师应秉持整体理念进行教育，也就是说每个教育活动内容不应分割成零碎片段，须整合五大领域相似或相同的知识，进而能够学以致用。

中班艺术领域活动"大海边的房子"就是在艺术领域融入语言教育。在设计房子、讨论房子外貌等环节，为幼儿提供了语言表达的机会，给幼儿在想象中创造、在创造中表达的机会。语言教育与艺术领域相结合，在帮助幼儿理解绘画规则的同时，锻炼了其独立构思、独立表达的能力。

户外教育活动"老鹰捉小鸡"中，教师一方面综合体育、社会、音乐的教育活动目标和内容，使幼儿在营造的愉悦氛围中达到训练身体动作灵敏性和协调性的目的，另一方面也完成了体育活动的教育目标(如引导幼儿练习钻、爬、翻、起等动作)、社会领域的教育目标(如培养幼儿友好合作、学会等待等良好习惯)、艺术领域的教育目标(如感受乐曲的快乐情绪)。

(二)幼儿园教育活动内容的编排

1. 由简单到复杂

幼儿园教师编排教育活动内容必须根据幼儿发展水平、具备的基础能力,先编排简单活动内容,引发幼儿的学习动机,培养对该活动的兴趣,待幼儿获得自信心与成就感,再适时结合幼儿自身能力尝试设计较为复杂的活动内容,从而提高幼儿的学习能力。

2. 由具体到抽象

由于幼儿学习主要依靠感官经验,教师在编排教育活动内容时须适时通过具体实物、图片及操作来让幼儿体验、学习新知识,再初步延伸抽象思维的探讨、动手实验验证,使幼儿在活动中能够探究知识之间的联系。

3. 由整体到部分

幼儿园教育活动内容编排须先概括幼儿整体经验,再将教育活动内容分层次、分类别地进行组织,从而达到幼儿能将各类的学习经验与知识做横向的融会贯通的目的。

4. 由基础到统整

幼儿园教育活动内容须先编排基础的、必要的知识或技能,再就相同或相似的主题进行统整,如幼儿学习经验统整,领域内容间的统整,幼儿园与家庭、社区的统整。应提升教育活动内容的关联性与应用性,协助幼儿建构解决问题的能力。

5. 由探索到引导

幼儿园教育活动内容编排须基于幼儿经验,从引发幼儿学习动机,启发其探索的好奇心,到引导幼儿进入活动内容,呈现垂直关系的知识深度或水平关系的知识广度,培养幼儿主动在教育活动中探索未知或学习的兴趣。

三、幼儿园教育活动的组织与实施

幼儿园教育活动的组织与实施是在活动历程中以幼儿既有的身心发展为基础,引导其学习新事物与参与教育活动,以达成活动目标的一切设计。

(一)幼儿园教育活动的组织

幼儿园教育活动组织的方式可以分成逻辑顺序、心理顺序、直线式组织与螺旋式组织。

1. 逻辑顺序

每一领域都以内在的逻辑体系来统整成课程内容。教师须衡量每一领域或多个学科组成的领域、主题,整合这些学科共同的知识与逻辑思维,应用于相关的教育活动。在幼儿园课程中,过去的"分科教育"常是一种以逻辑顺序组织幼儿园课程内容的方式。"分科教育"将课程内容分成若干学科,如语言、计算、科学、音乐、美术、体育等,并按每门学科内在的逻辑顺序组织课程内容,使这些内容保持系统性。

2. 心理顺序

教育活动的对象是幼儿的心理特质,诸如发展特质、兴趣、需求,皆会影响教师设计教育活动的类型、幼儿参与教育活动的成效及整个教育活动的进展等,因此教师须全面考量每个年龄段幼儿的心理特质,遵循心理顺序原则,组织适当的教育活动。

究竟是按逻辑顺序组织教育内容,还是以心理顺序组织教育内容,是儿童观和教育观的问题。按逻辑顺序或心理顺序组织幼儿园课程内容各有其优缺点,两者取长补短,以达到和谐统一是幼儿园课程内容组织的一种发展趋向。不管幼儿园教育活动的外部表现形态是"分科"的还是"综合"的,在强调其内在逻辑顺序与心理顺序和谐统一的基础上,更应该关注幼儿心理发展与个体差异,杜绝统一标准的"小学化"倾向。

3. 直线式组织

加涅从学习层次的角度出发,把幼儿园教育活动内容转化为一系列先决能力的目标,然后按这些目标关系循序渐进,不仅从较简单的基本能力的学习进展到复杂的问题解决能力的学习,甚至进一步将学习到的知识融入相关领域,转化为更高层次的能力,体现了从简单到复杂的规律。换言之,幼儿园教师组织教育活动可以按能力等级依次开展,强调教育活动的实践意义,使教育活动更具有学习意义。

4. 螺旋式组织

幼儿发展具有阶段性,每个阶段皆有不同的发展重点。总体来说,随着幼儿的逐渐成长,其智力水平逐年提升。因此,教师组织教育活动时应注重让幼儿在不同发展阶段逐渐掌握某领域的知识结构,再随着其年龄增长,加深、拓宽这些知识结构,使幼儿有能力整合多个领域的相关知识。换言之,螺旋式组织有益于幼儿园在与环境的交互作用中获得经验,原有经验将在新经验的获得中起到连接作用,有利于整合多个教育活动,以及深度学习某项教育活动。

(二)幼儿园教育活动的实施

1. 幼儿园教育活动实施的原则

(1)教育活动的起始。

①引发原则。教育活动是幼儿园课程的一部分,能够全面促进幼儿的身心发展。在准备教育活动时,教师从幼儿现阶段身心特点、动作技能发展,以及先前学习的基础上,准备适宜的、充分的活动材料,提供健康、有趣的活动环境,设计适当的教育活动类型,引发幼儿的学习动机与意愿,在教育活动中健全个体的发展。

②融入原则。幼儿学习的特点之一就是联结生活经验,因此教育活动应该从幼儿的生活经验、社区环境及民族文化中获取相关的教育主题、教具,并以此转化成教育活动中的内容,以充分发挥活动的教育意义。教师须引导幼儿感受集体教育的氛围,积极参与活动,并借由操作、游戏环节,为幼儿提供实践与运用生活知识的机会,或融合在区域活动、生活活动中;在时间允许与保证安全的条件下,可组织幼儿到社区、公园、文化教育机构,使幼儿应用或结合教育活动所学的知识而快速融入其中。

(2)教育活动的过程。

①兴趣原则。兴趣是最好的学习导师,是一种积极的心理倾向。无论何种教育活动,兴趣原则着重于幼儿的注意力,启发学习动机,对幼儿学习有正向的促进作用。换言之,幼儿的注意力往往倾注在他感兴趣的事物上,并积极热情地参与其中。因此,教师须机智地在导入环节引发幼儿对教育活动的兴趣,可以准备视频、实物及游戏,以顺利推动教育活动,提高幼儿的学习效果。总之,幼儿园教育活动实施旨在以幼儿兴趣为中心,让幼儿学习如何学习,为其终身学习奠定基础。

②主动原则。教师应该给予幼儿有意义的学习。幼儿须发自内心地喜爱某些教育活动、主题或游戏,教育活动设计须根据幼儿兴趣、生活经验及发展水平,开发相关主题、种类、层次、场域的教育活动,引发幼儿学习的能动性,再提供准备充足的环境,如有趣的教具、动态的实物,使其产生学习兴趣,能主动且持续地学习。

③个别适应原则。由于幼儿的发展、家庭及经验等的不同,教育活动必须适应幼儿个别需求,力求差异化的活动内容,以契合幼儿个性化学习,并且为其德、智、体、美能力奠定基础。所以,教师设计教育活动的主题、类型与内涵须多样化,渐进地提升大多数幼儿的综合素质。

④社会化原则。教育活动目标为启蒙与培养幼儿的社会能力,为今后生活做准备。教师设计以发展社会能力为主的领域性集体教育活动、生活教育活动、游戏活动等,引导幼儿习得与同伴交往、社会适应等技能,并延伸至一日生活与环境创设,通过融入生活教育的方式,使其能够遵守社会规范,为将来做准备。

⑤引导原则。幼儿园要尊重幼儿的主体性,教育活动目标为培养其学习的自主性,教师须遵守导引参与原则,切不可直接干预,促使幼儿养成自动自发地学习行为,使幼儿乐于参与各项教育活动。教师是一位引导者,须时时观察幼儿的发展与行为,创造各种机会让幼儿主动参与教育活动,目的在于激励幼儿自主学习,从而使幼儿更好地发展潜在能力。

⑥强化原则。幼儿园课程多采用玩中学的原则,幼儿通过教育活动,强化习得知识与技能。因此,教师在设计教育活动时,须安排动手操作、游戏等环节,让幼儿应用所学的相关经验,或是将相关经验融入游戏当中,从而达到寓教于乐的目的。

(3)教育活动的成果加强。

①熟练原则。学习方法就是重复练习和操作某项技能或是应用经验解决问题,以达到更好的学习效果。幼儿学习效果不会立竿见影,许多教育活动需要让幼儿进行更多的操作与实践,甚至在生活中应用相关知识。特别是生活活动、绘本阅读,需要幼儿在日常生活中养成习惯。

②统整学习原则。统整学习涵盖多种层次的学习,重视学习中经验的获得,更重视学习品质的培养。例如,科学领域活动"秋天的水果"的教育目的在于让幼儿知悉秋天的水果种类、吃法,进而能够爱吃水果。此活动不仅可以让幼儿学到科学和健康的相关知识,还可以结合美术活动引导幼儿进行水果实物装饰画。活动过程中,教师须适时提醒幼儿的学习态度与方法,如游戏环节的团队精神、区域活动生活角用刮刀削果皮的规则。

2. 幼儿园教育活动实施的价值取向

幼儿园教育活动实施的价值取向是指活动的设计者与实施者在幼儿园活动实施的过程中对课程价值做出选择时所持的一种倾向性，是对新活动引入实践的出发点及对效果的预期。幼儿园活动实施的价值取向应该渗透到幼儿园教育活动的全过程中，与此同时，活动的过程也要显示出活动的价值取向。

(1) 创造性的活动过程。

在教育活动的实施过程中，教师要掌握幼儿的生长发展和学习规律。要求教师把握幼儿的一般年龄特征和个体特征，同时也要抓住各种教育契机，如幼儿的日常生活、园内环境或地区文化，以创造性的教育价值取向，在与幼儿不断的互动交流中生发出新的教育活动。

(2) 幼儿全面发展的过程。

幼儿园"以幼儿为中心"的教育观，贯穿幼儿教育活动的实施过程，要求以幼儿的全面发展为价值取向，营造良好和谐的活动实施环境和氛围，确保幼儿积极、主动、愉悦地参与各项教育活动，从中得到发展。

(3) 教师体验教育幸福的过程。

教师作为教育活动的实施者、引导者和观察者，要真正融入教育活动中，就要学会体验活动过程中的教育幸福。在教育活动的实施过程中，教师应学会体验幼儿成长的喜悦感、互动的温暖感，以及活动成功开展的成就感，从中获得幸福感。因此，幼儿园教育活动实施的过程可以视为教师体验教育幸福的过程。

任务三　幼儿园教育活动的说课

一、幼儿园说课的含义

说课是教师在备课之后、讲课之前（或者在讲课之后），把教材、教法、学法、教学程序等方面的教学设计思路及其依据，面对面地对同行或其他听众做全面讲述的一项教研活动。说课是教师对教案本身的口头分析和说明，要求幼儿园教师以教育理论、教学内容为依据，针对某一课题的特点，结合教育对象的实际情况，口头表述该课题教学的具体设想、设计及其理论和实际依据，包括教什么、如何教、为什么这样教等。

通过说课，可从一个侧面判断教师的教育视野和理念、经验和知识，考量教师的教育观、儿童观及教师对幼儿年龄特点的把握程度，对教育理论的关注情况，对教学方法的创新性，对自己教学个性的认同感等。

说课是对教育活动设计和组织的一个语言表述过程。由于教育活动涉及目标、内容、主体、材料、过程、方式方法、效果等诸多因素，各因素之间又相互联系，因此，说课者必须对各因素之间的相互联系进行全面深入的分析，不仅要说其然，更要说其所以然。如此一来，不仅可以增强教师设计和组织教育活动的自学性、目的性，还可以帮助教师进一步理解教育活动诸因素间的关系，提高自身的整体素质。

说课从时间上可以分为活动前的说课与活动后的说课,前一种突出教学过程的实施与重、难点的化解与突破,后一种更强调教学目标达成情况的反馈,某种组织策略调整的原因或是课堂生成情况的说明,教学延伸等。

备课、上课、说课是幼儿园教师必备的基本技能。三者之间既有相同点,又有不同点。相同点在于三者都是围绕同一活动内容展开的。不同点是备课可以从教案看出"怎样教",上课可以从课堂教学看出"怎样教",而说课不仅要说出"怎样教",还要说清为什么这样教,这是说课区别于备课、上课而形成其独有特征的主要方面。说课要求教师从教材、教法、学法、教学程序四个方面分别阐述,而且特别强调每一部分内容的"为什么",即运用教育学、心理学等教育理论知识去阐明道理。

二、幼儿园说课的要求

幼儿园说课是学前教育改革的新课题,它不仅可以增强教师设计和组织教育活动的自觉性、目的性,还可以帮助教师进一步理解教育活动诸因素间的关系,提高自身的整体素质。

(一)如何说好课

首先要明确说课的目的。说课的目的是多样的,可用于考试、检查、研究、评价、示范等。不同目的的说课在表达方式上应各有侧重。考试类型的说课需要完整的表达,从幼儿年龄特点、班级个性、活动准备、目标设计、过程实施到结果预想等做全面阐释;研究类型的说课围绕中心议题,突出说明本次活动做出的尝试与创新;检查类型的说课重点说明本阶段班级现状与幼儿学习过程,课程进展中出现的问题,研究思路与解决策略,教师个人所做的努力以及已经取得的成效,本次活动努力追求的创意等。

说课 VS 备课

说课 VS 上课

说课没有固定的模式,可长可短,不需要面面俱到,可因时因地因材而异。教师在"说"的过程中,不仅要将书面的教学方案表达出来,更要将隐藏在教学方案里面的设计思想、教育理念、具体依据表达出来,重点强调的是教师为什么要这么设计。

其次,要说好课,就必须写好说课稿。认真拟定说课稿,是说课取得成功的前提,是教师提高业务技能的有效途径。

怎样写好一篇说课稿呢?说课稿不同于教案,教案只说"怎样教",说课稿则要重点说清"为什么要这样教",就是找理论依据。理论依据从哪里找?一是《纲要》《指南》等重要文件中的指导思想、教学原则、教学要求等,这是指导我们确定教学目标、重点、难点,教学结构以及教法、学法的理论依据;二是《教育学》《心理学》中的许多教学原则、原理、要求和方法等,也可以作为我们确定教法、学法的理论依据;三是根据所选活动内容和幼儿实际,对活动中的重点进行切合实际的分析,并采取行之有效的措施。

(二)幼儿园说课稿模板

幼儿园说课稿是按照说课内容的内在逻辑来撰写的,没有固定的格式,一般依据教师设计的活动方案(或选用的活动方案)来确定。说课稿的基本内容一般包括以下几个方面。

(1)说设计思路。主要说明选题的原因、课题的来源,通过分析所选活动主题内容的特点,指明它在整体或主题网络教学中的地位。所以教师首先必须说清楚此次活动的内容及为什么要选择这些内容。

(2)说学情。简要分析幼儿现状,主要包括幼儿的年龄特点、身心发展状况,幼儿原有知识和基础技能的掌握情况及智力的发展情况;幼儿的非智力因素,包括幼儿的兴趣、动机、行为习惯、意志等的发展状况。

(3)说活动目标。要说清如何确定活动目标——情感、认知、能力。目标贵在挖掘,挖掘的前提是对教学内容的分析。目标的评价重点在于其是否明确、具体、可检验。与此同时,要分析教材的重点、难点及其确定的原因或突破的方法。

(4)说活动准备。活动准备包括活动前的准备(家长工作、社区协调、环境创设、资料收集、幼儿园活动等),活动中的准备(即有关玩具、教具等材料,包括幼儿用书、教学挂图等)。活动准备旨在让幼儿通过与环境和材料的相互作用来获得发展,因此,活动准备必须与幼儿的能力、兴趣、需要等相适应。

(5)说教法、学法。教学方法是教师有效地传递信息、指导幼儿的途径。说教法主要是说明在本次活动中将采用的教学方法和运用的教学手段,以及这样做的原因,要重点强调其中独创的做法,特别是培养幼儿创新精神和实践能力的具体做法。在说教法时要注意根据教学内容的特点、幼儿的实际、教师的特长以及教学设备情况等,来说明选择某种方法或手段的依据。说学法就是说明幼儿要"怎样学""为什么这样学"的环节,教师要说出教给幼儿哪些学习方法,培养幼儿哪些能力。教师在说学法时要说出在活动中幼儿是怎样学习的,依据是什么;自己在活动中是如何激发幼儿的学习兴趣,引导幼儿主动、积极探索的;还要说出是怎样根据班级特点和幼儿的年龄、心理特征,运用哪些教育教学规律指导幼儿进行学习的。

(6)说活动流程。这一环节往往是拉大说课距离的环节,是说课的重点。一般要说清整个活动过程"有几大环节"以及"各环节的主要达成目标"。要分环节讲清"教什么""怎么教""为什么这样教",以及在教学活动中如何保证教学目标的达成,如何保证重点、难点的突破,如何保证所有幼儿最大限度地获得发展。这就需要从"选择什么教学方法来突破教学的重、难点""如何引导幼儿学习""如何帮助幼儿在情感、认知、能力等方面获得提高""为什么这样教"这几个方面说。

(7)说特色与亮点。说课的核心在于说理,重点要说清为什么要这样教,教学重点和教学难点如何突破。因此,在对自己设计课程中的思维活动进行审视后,要突出说明自身的教学风格与特色,要多角度挖掘,将最与众不同的一面呈现出来。

(三)幼儿园说课的要求

说课不同于一般的发言和课堂教学,要求说课者比较系统地介绍自己的教学设计及其理论依据,而不是宣讲教案,也不是浓缩课堂,它的核心在于说理,在于说清为什么要这样教。说课的重点在于教学重点和教学难点的突破。

(1)在说课过程中,要注意把握以下几点。

①使用普通话,充满激情,慷慨自然,紧凑连贯,简练准确,自然而有效地使用媒介手段。

②对于说课的内容和方式的理解。说课是把自己设计课程的思维活动表达出来的过程,它能使教师在思想上对设计课程中的理论依据、构思再一次进行审视,强化了理论对实践的指导。

③说课是教师刻苦钻研教材、探讨教学方法、实践教学手段、不断提高教育教学水平的一种好方法,也是深化教育改革后,教师进一步学习教育理论,用科学手段指导教学实践,提高教研水平及进行教学基本功训练的一项内在要求。

(2)说课中应遵循的几项原则。

①科学性原则——说课活动的前提。科学性原则是组织活动应遵循的基本原则,也是说课应遵循的基本原则,它是保证说课质量的前提和基础。说课中,教师不仅要从微观上弄清、弄懂活动内容的内涵和外延,做到准确无误,更重要的是要从宏观上正确把握本活动在本年段、本主题中的地位、作用以及本活动内容的知识结构体系,深刻理解各活动之间的关系。

②理论联系实际原则——说课活动的灵魂。说课是说课者向听者表达其对某次活动设想的一种方式,是教学与研究相结合的一种活动。因此在说课活动中,说课者不仅要说清其活动构想,还要说清其构想的理论与实际两个方面的依据,将学前教育理论与活动实际有机地结合起来,做到理论与实践的高度统一。

③实效性原则——说课活动的核心。说课的目的就是要通过"说课"这一简易、速成的形式或手段在短时间内集思广益,检验和提高教师的教学能力、教研能力,从而优化活动过程,提高活动效率。因此,"实效性"就成了说课活动的核心。

④创新性原则——说课活动的生命线。说课是深层次的教研活动,是教师将活动构想转化为具体活动之前的一种预演,本身也是集体备课。尤其是研究性说课,实质就是集体备课。在说课活动中,说课者一方面要立足于自己的教学特长、教学风格,另一方面更要借助有同行、专家参与评说,众人共同研究的良好机会,树立创新的意识和勇气,大胆假设,小心求证,探索出新的思路和方法,从而不断提高自己的业务水平,进而不断提高教学质量。只有在说课中不断发现新问题、解决新问题,才能使说课活动永远"新鲜"、充满生机和活力。

探究活动

1. 尝试以二十四节气或中国传统节日为主题设计一学期教育活动计划。
2. 使用软件绘制幼儿园教育活动类型思维导图。

拓展阅读

全国职业院校技能大赛"学前教育专业教育技能"赛项教育活动设计与实施的技术规范。

掌握幼儿园领域教育的特点与基本知识,包括幼儿园教育活动的概念、类型、目的、内容、实施和评价,教育活动设计的具体要求;掌握不同领域的幼儿园教育活动设计的流程、思路,熟悉幼儿园教育活动实施的策略;掌握幼儿园一日生活活动的目的、内容、组织与指导策略;在教育活动的设计和实施中体现趣味性、综合性和生活化,灵活运用各种组织形式和适宜的教育方式。了解幼儿园教育活动的新趋势,具有幼儿园教育活动新理念。在教育活动中观察幼儿,根据幼儿的表现和需要,调整活动,给予适宜的指导。充分尊重和保护幼儿的好奇心和学习兴趣,帮助幼儿逐步养成积极主动、认真专注、不怕困难、敢于探究和尝试、乐于想象和创造等良好学习品质,提供更多的操作和探索、交流和合作、表达和表现的机会,支持和促进幼儿主动学习。

案例一　我也来造桥
中班

一、活动目标

(1)激发幼儿的求知欲和探究欲望。

(2)引导幼儿尝试利用代替物来建造纸桥,愿意与同伴交流分享经验。

(3)引导幼儿通过操作活动探究使桥面牢固的方法并学习记录。

二、活动准备

(1)经验准备:观察并讨论造桥,对桥的功用及种类有所认识。

(2)材料准备:代替物若干(如厚薄不一的纸、积木、纸杯、书、纸盒、塑料等);记录表、笔;桥的图片若干。

三、活动过程

1. 各种各样的桥

通过和幼儿一起回忆我们认识及见过的桥导入活动。(对桥的构造、类型有基本的了解,为后面的造桥做好铺垫。)

语言引导如下:

(1)上次我们通过观察、收集资料,认识了许多桥,你们还记得吗?(在教师象征性的提问下出示桥的图片)

(2)桥为我们的生活带来了较大的便利,所以我们更要感谢那些造桥的人,那今天你们想不想也来当一回造桥人呢?

2. 造桥

(1)介绍材料,教师可提问:看看我们要用什么材料来造桥,可以怎么使用这些材料呢?

(2)请个别幼儿说说自己造桥的想法。

(3)鼓励幼儿使用所提供的材料造桥,教师提示幼儿注意以下要求。

①桥面要牢固,比比谁的桥面载重量大。

②在记录表上记录下搭建的过程及结果。

③可尝试使用不同材料搭建,看看你会发现什么小秘密。

3. 交流与分享

(1)请个别幼儿展示作品,并根据记录的内容说说载重量。

(2)在看了幼儿的演示及他们的操作后,引发其他幼儿说出自己发现的小秘密或小问题。

4. 创设问题,引发幼儿讨论

①平面桥及拱形桥的载重量一样吗?

②厚的桥面与薄的桥面的载重量哪个大?

③大家来动脑筋,怎样使薄纸桥面也和厚纸桥面的载重量一样呢?

四、活动延伸

将问题带入区域活动中进一步探究解决。

五、活动评估

桥为我们的生活带来了便利,在活动"各种各样的桥"中,幼儿对桥已经有了初步的认识,知道桥的基本组成部分,同时通过资料的收集,也发现了桥的多样性、特殊性,更是对造桥的工作者产生了敬佩之情。幼儿把这些经验及体验延伸到了本体性游戏的构建活动中,个个都想来造桥。为了更好地满足他们的求知欲和探究欲望,教师提供了丰富的材料,让幼儿在自己的探究过程中尝试造桥,并在桥上载物,同时也根据他们的年龄特点,在活动中提供了记录表,使他们在边记录边探究中当一回小小造桥者。

案例二 蔬菜造纸
大班

一、活动目标

(1)了解蔬菜纸的制作材料和制作过程,激发幼儿对科学活动的兴趣,培养幼儿的环保意识和节约意识。

(2)培养幼儿发现问题、解决问题的能力,让幼儿体验成功的快乐。

二、活动准备

(1)经验准备:在以前的活动中了解木材造纸的常识。

(2)材料准备:萝卜缨、菜花叶、油菜和芹菜的老叶、芹菜的茎以及姜、萝卜、土豆等蔬菜;锤子、案板、捣蒜锤、捣蒜罐、葛粉、海绵、纱布、抄纸框、一盆清水。

三、活动过程

1. 逐一出示并介绍操作材料,引发幼儿兴趣

语言引导如下:

小朋友,你们知道纸是怎么造出来的吗?

蔬菜也能造纸,你们相信吗?今天我们就来做一个有关蔬菜造纸的实验。

2. 幼儿自由结组(5~6人一组),选取喜欢的蔬菜备用

3. 在教师指导下,幼儿进行操作、探索,了解蔬菜造纸的条件和过程

(1)把选取的蔬菜(太长的要先掰或揪成寸段)放在案板上,用锤子锤击(锤击时要把手拿开,注意安全),使其变得柔软细碎。

(2)用纱布包裹住被锤打过的蔬菜,用力挤去水分。

(3)把挤去水分的蔬菜放入捣蒜罐中,用捣蒜锤进一步捣碎(捣得越碎越好,蔬菜越碎做出来的纸就越光滑、细腻)。

(4)将小半勺葛粉溶解在50毫升温水中,然后与捣碎的蔬菜充分混合。

(5)把抄纸框放入装满清水的盆中,再把混合了葛粉的蔬菜全部放入抄纸框内铺平(此时还可

以放入花瓣、叶子等摆出造型进行装饰,晾干后就是一幅漂亮的装饰画了)。

(6)把抄纸框从水中取出,平放在木板上,用海绵轻轻地将水分吸干。

(7)把抄纸框翻转,轻轻地将网面扣过来(蔬菜纸挨着木板),然后轻轻地将网拿开,再用纸巾轻蘸,进一步吸去蔬菜纸的水分。

(8)将放有蔬菜纸的木板放在通风良好的地方阴干。

4. 引导幼儿观察后讨论

通过讨论"为什么有的组的小朋友能够造出纸来,有的组却没有造出纸来",重点让幼儿明白,只有纤维粗的蔬菜才能造出蔬菜纸,如萝卜缨、菜花叶、姜、油菜的老叶和芹菜的茎。

四、活动延伸

(1)待蔬菜纸晾干后,用它剪出不同的形状贴在彩色纸上,做成漂亮的贴画。

(2)回家和家长一起制作蔬菜纸,带到幼儿园进行展览,让幼儿体验成功的喜悦。

案例三 "颜色变变变"说课稿
中班

一、说设计思路

1. 课题来源

"颜色变变变"是一个探究颜色变化的活动。蓝天、白云、红花、绿叶,幼儿生活在一个多彩的世界里,多彩的颜色是怎么变出来的?中班科学活动"颜色变变变"为幼儿解开了这个疑惑,帮助幼儿了解到红、黄、蓝三原色中的任意两种颜色混合在一起能变出另一种颜色的神奇,感受到颜色变化的奇妙,激发了幼儿探究颜色变化的欲望,丰富了幼儿有关颜色变化的经验,使幼儿体验到颜色变化的乐趣。

2. 教学目标

本次活动遵循《纲要》的精神,体现幼儿园教育活动以"幼儿发展为本"的原则,符合幼儿爱动手、爱摆弄的年龄特点。在活动中,我们有意识地创设环节,引导幼儿相互协商、自主分配角色,互相合作,共同探讨、互相交流在探究中的发现,培养了幼儿的合作意识,提高了幼儿的口语表达能力和社会交往能力。基于此,我们预设了如下三个活动目标:①让幼儿主动参与变色的操作活动,感受三原色的变化;②培养幼儿的合作意识,激发他们对科学活动的兴趣;③使幼儿乐意与同伴分享自己对颜色变化的发现。

3. 教学重、难点

好奇、好探究是幼儿与生俱来的特点。在此次活动中,为了满足幼儿的好奇心和求知欲,发展幼儿在探究中解决实际问题的能力,我们把"让幼儿主动参与变色的操作活动""探究颜色的变化"作为本次活动的重点。考虑到这是幼儿第一次自主探究颜色的变化,在操作中会异常兴奋和忙乱,为了有序地完成操作—发现—记录的探究过程,我们把幼儿自主分配角色、互相合作调配颜色作为本次活动的难点。

4. 活动准备

活动准备是为完成某一活动的目标服务的,同时,幼儿是通过与材料的相互作用获得发展的。在本次活动中,我们给每组幼儿准备了一个调色盘、一张记录表和一支笔,还在最后环节给每个幼儿准备了一个制作陀螺用的硬纸片和若干牙签。准备的每一种材料都是想让幼儿通过动手使其发生变化,从而使求知欲获得启发,使探索欲得到发展。

二、说教法

1. 演示法

第一环节观摩小魔术表演,让幼儿观察颜色从无到有的变化过程。第二环节的演示法是运用在记录表的讲解上,通过直观的记录表,让幼儿清楚地感知操作和记录的方式方法。在演示调色和做记录的时候,我们只示范调配一种颜色,以留给幼儿足够的想象、探究空间,避免单纯模仿。

2. 谈话法

幼儿在互相配合进行调色和做记录时,有互相交流的,有因角色分配发生冲突的,有调色时意见不统一需要商量的,等等。谈话法促进了幼儿与幼儿之间、幼儿与教师之间的交流。在这个过程中,我们也围绕目标加强了对幼儿合作意识的培养。

3. 观察法

在活动的第三环节即幼儿动手调色、探究颜色变化的环节,我们观察幼儿调色之前的协商分工情况、幼儿的调色和记录过程,以便及时有效地进行指导和评价。

三、说学法

1. 观察法

科学活动中的观察法是非常重要的,在开头的引题激趣环节,幼儿观看小魔术表演,观察了颜色从无到有的变化过程,从而产生好奇心和探究欲望;继而又观察了教师示范调色和记录的方法,为下一环节的操作及记录提供了有效的指导依据。

2. 实物操作法

在活动第三环节,幼儿充分利用教师提供的颜料、调色盘、棉签、纸片等进行调色操作,在调色中感知、探究颜色的变化过程,从中获得有关颜色变化的知识经验。在活动延伸部分,幼儿利用自己调出的颜色和教师提供的材料自制五彩陀螺,最后在轻松愉悦的背景音乐中玩转陀螺的游戏,充分体验操作的乐趣。

3. 讨论法

在科学教育活动中,教师要引导幼儿积极参与小组讨论,以培养幼儿合作学习的意识和能力,使幼儿学会用多种方式表现、交流、分享探究的过程和结果。在本次活动中,讨论法主要运用于两个环节:一是运用于幼儿调色及记录之前的角色分工,以及调色和记录过程中的交流、探讨时;二是运用于操作结束后讨论、交流操作结果时。

四、说活动过程

活动过程主要包括以下四个环节。

1. 观摩教师的小魔术表演

设计小魔术表演的目的在于让幼儿通过观看表演、观察颜色变化过程从而产生好奇心,激发求知欲。在魔术表演时,特意请个别幼儿尝试,有的幼儿能变出颜色,有的幼儿却变不出颜色,这是为什么呢?颜色是怎么变出来的呢?把疑问留给幼儿,让他们带着疑问进入下一个环节。

2. 幼儿在操作中发现颜色的变化

在观看教师的小魔术表演时,幼儿已经跃跃欲试,迫不及待地想动手操作了,这时,教师通过直观的演示法,把操作步骤教给幼儿,让幼儿在观察中得到启发。但教师又没有大包大揽地帮幼儿解决所有的问题,而是留有一定余地,让幼儿在操作中发现问题,培养他们解决问题的能力。例如,教师只示范调配了一种颜色,其他的颜色让幼儿自己调配。

3. 讨论、交流、共同分享

讨论、交流可以促进幼儿互相学习,激发他们表达的欲望,有助于形成融洽的师幼互动氛围,使他们共同分享活动的快乐。教师可以通过交流让幼儿获取有关颜色的科学知识,学会让颜色变化的方法和技能,同时在交谈中可提高幼儿的口语表达能力。

4. 做做玩玩——我的陀螺转起来

幼儿利用刚才变出来的颜色给陀螺上色。在这个环节中,很多幼儿会有意识地去使用漂亮、鲜艳的颜色,而那些由于把三种颜色混合在一起而找不到漂亮颜色的幼儿,开始向别人借自己想要的颜色,合作交流再一次得以体现。通过这一活动,幼儿更加明晰下次应该怎样操作才能调出漂亮的颜色。最后,在愉快的音乐声中,幼儿快速旋转自己制作的陀螺,体验成功的快乐。

五、课后反思

本次活动始终以幼儿为主体,创造条件让幼儿积极参与其中;以教师为主导,教师积极调动幼儿的各种感官,通过看一看、说一说、做一做等各种体验,激发幼儿的学习热情,使他们在操作探究中发现颜色变化的秘密,感受颜色变化的乐趣,从而完成预设目标的要求。

我们设计的小魔术表演非常吸引幼儿,他们对所提供的操作材料也非常感兴趣,虽然最后他们的操作结果差强人意,有的甚至把颜料全部混合在一起,有的则由于无法精准掌握颜料的用量而影响到调出的色彩的明暗效果,过程也比较忙乱。但让我们感到欣慰的是,在这个过程中,幼儿最本能的反应充分展现出来,他们喜欢这样的活动,他们通过活动提升了自己的技能,比如,他们通过合作完成了记录表,他们学会了"红+黄=橙,红+蓝=紫,黄+蓝=绿"。

幼儿通过语言交流获得自己没有但又想要的颜色,使自己的陀螺变得更漂亮,这样的过程让他们懂得遇到问题时如何想办法解决。在现实生活中,我们就很需要培养幼儿这种解决问题的能力。当然,在活动过程中,也有很多不足和处理不当的细节需要我们反思,今后还需更加努力积累经验,提高教学水平。

案例四 "顽皮的影子"说课稿
大班

一、活动目标

大班幼儿对事物表面特征的观察已积累了一定的经验,本次活动通过寻找、探究发现影子的奥秘,激发了幼儿探究事物本质特征的兴趣。针对本班幼儿的特点,确定了以下活动目标。

(1)萌发幼儿探究科学的兴趣及求知欲。

(2)引导幼儿主动参与实践操作活动,并获得有关"光和影子"的感性经验。

(3)发展幼儿的观察、比较、合作、判断能力。

二、活动内容

玩影子是幼儿最感兴趣的游戏之一,教师紧紧抓住幼儿这一兴趣设计了本次活动,以玩手影导入,在循序渐进中深入探究影子是怎样产生的,最后展示影子的舞蹈,让幼儿进一步探究影子舞蹈的奥秘,到户外寻找影子,结束本次活动。让幼儿获取了有关"光和影子"的感性经验。在活动中,教师提供了大量的图片等操作材料,并分层次逐步投入,鼓励幼儿开动脑筋,让这些材料发挥作用。这种与材料互动的学习方法,能增强幼儿的自信心,激发幼儿探究的欲望,培养幼儿的创新思维。

重点:如何让影子动起来。

难点:光线照射在物体上,物体挡住光线就产生影子。

三、活动准备

1. 经验准备

(1)知道镜子会反光,了解平面镜的特征。

(2)知道产生影子所需要的条件。

2. 材料准备

(1)白纸、手电筒、固体胶若干。

(2)乌龟、小鸟、风车、风扇等。

(3)教师范例一份,应急灯一个。

四、活动方法

根据教学目标,在活动过程中,采用集体教学活动的形式和探究式活动方法,以满足幼儿探究事物本质特征的愿望,充分做到以幼儿为主体、教师为主导,培养幼儿探究科学的兴趣,发展幼儿的观察、比较、判断能力,让幼儿养成从小就主动探究科学的习惯,提倡幼儿自己体验成功的喜悦,并且进一步体验自信带来的愉悦感。

五、活动过程

1. 激发幼儿的学习兴趣

首先设计了玩影子的游戏,并教幼儿几种手影,如孔雀、小鸟、狐狸、小狗手影。(将应急灯放在桌子上,手放在灯光中间做造型,射到墙上即形成各种形态的影子。幼儿自由操作感受乐趣。由此将幼儿的学习兴趣和探究愿望激发出来。)向幼儿提问:为什么会产生影子呢?幼儿自由发言,体现幼儿学习知识的主动性和自主性原则,引出本次课题。

2. 了解影子是怎样产生的

为幼儿提供手电筒和一些立体物体,请幼儿用手电筒往物体上照,看看不同角度的光照出的影子有什么不同,关掉手电筒,观察还有没有影子,并提问影子是怎样产生的。

通过实验观察不同角度的光照出的影子有什么不同,并小结:光照射在物体上,物体挡住了光产生了影子,让幼儿发现光照方向与影子的关系。

3. 想办法让影子动起来

教师操作游戏材料进行表演,但不解释操作过程,幼儿观察小鸟跳舞。教师为幼儿提供材料:手电筒、纸、小鸟、固体胶,通过实验操作,启发幼儿想办法让小鸟跳舞。教师鼓励幼儿自己开动脑筋解决问题。

教师组织幼儿讨论:为什么小鸟会跳舞?与幼儿共同小结:要让小鸟跳舞,翅膀之间必须有距离,这同翅膀的角度有关。

4.进一步探究影子跳舞的奥秘

教师提供各种形象,请幼儿每人选一种材料,想一想这些物体哪些部分便于活动,然后设法让它们动起来。幼儿探究,教师根据情况指导,如当幼儿未能让风车转起来时,可启发幼儿思考,风车的角度折叠得是否合适,手电筒移动的角度、方向是否与风车的活动有关。幼儿讲述方法并交流,教师引导幼儿观察和体验物体是怎样活动的。

六、活动延伸

(1)到户外去寻找各种物体和自己的影子,并玩踩影子的游戏,在欢快的气氛中结束课题。这一环节调动幼儿身体各个部分,充分满足幼儿好动的个性,使幼儿直接通过自己的感觉器官认识和感受影子带来的乐趣。

(2)引导幼儿在日常生活中继续观察"光和影子"的有趣现象。

本次活动引导幼儿观察、操作,鼓励幼儿自己开动脑筋解决问题,并通过交流、讨论使幼儿感知"光照射的角度发生变化,影子也随之变化"的现象,即光照射在物体上,物体挡住光就产生影子,从中获得"光和影子"的感性经验。

真题演练

1.在幼儿教学活动中,提供交流机会最多的组织形式是(　　)。

A.个别活动　　　　　　　　B.全园活动

C.小组活动　　　　　　　　D.班集体活动

2.教师给幼儿选择的学习内容应有一定的难度,而且是逐渐加深的,需要幼儿做出一定的努力才能学会。这体现了幼儿园教育活动的(　　)。

A.活动性原则　　　　　　　B.发展性原则

C.直观性原则　　　　　　　D.个别对待原则

3.制定一日活动计划主要是依据(　　)。

A.社会发展和幼儿身心发展的规律

B.当地文化特点和本班幼儿身心发展状况

C.本周计划和本班幼儿兴趣与需要

D.幼儿园和班级的学期计划

4.从生活中选择幼儿感兴趣的事物和问题作为教学内容的主要原因是(　　)。

A.教师容易制作教具　　　　B.便于教师教学

C.符合家长的希望　　　　　D.符合幼儿的学习特点

参考答案:1-4 CBAD

单元二 幼儿园分领域教育活动设计与实施

● 学习目标 ●

1. 理解分领域教育的目标和内容。
2. 掌握分领域教育活动的设计方法及实施途径。
3. 通过分领域教育活动的设计与实施,加强对幼儿园教育活动的理解,提升活动设计与组织能力。

● 真题导入 ●

菊花开了,枫叶红了。幼儿园准备组织大班幼儿去秋游。园里已经联系好车辆。要求各班老师写出自己班的工作计划。

要求:假设你是大二班的老师,请写出你班的工作计划,包括内容、目的和方法等。

● 基础理论 ●

项目一 幼儿园健康教育活动设计与实施

健康是指人在身体、心理和社会适应方面的良好状态。幼儿阶段是幼儿身体发育和机能发展极为迅速的时期,也是形成安全感和乐观态度的重要阶段。发育良好的身体、愉快的情绪、强健的体质、协调的动作、良好的生活习惯和基本生活能力是幼儿身心健康的重要标志,也是其他领域学习与发展的基础。

为有效促进幼儿身心健康发展,成人应为幼儿提供合理均衡的营养,保证幼儿充足的睡眠和适宜的锻炼,满足幼儿生长发育的需要;创设温馨的人际环境,让幼儿充分感受到关爱,形成积极稳定的情绪情感;帮助幼儿养成良好的生活与卫生习惯,提高自我保护能力,形成使其终身受益的生活能力和文明生活方式。

幼儿身心发育尚未成熟,需要成人的精心呵护和照顾,但不宜过度保护和包办代替,以免剥夺幼儿自主学习的机会，养成过于依赖的不良习惯，影响其主动性、独立性的发展。

健康是个体实现生命价值的基本潜能，随着现代医学模式的改变，健康的含义也发生了相应的改变，联合国世界卫生组织是这样定义健康的：健康是指身体、心理和社会适应的健全状态。1989 年，世界卫生组织又将健康的概念调整为：健康应包括躯体健康、心理健康、社会适应良好和道德健康。

学前幼儿健康是指幼儿各个器官生长发育正常，能较好地抵抗各种疾病；性格开朗，情绪乐观，无心理障碍，对环境有较快的适应能力。

一、学前幼儿健康

学前幼儿健康是一个动态的过程，只有及时了解、准确评价幼儿的健康状态，才能积极地改进和完善学前幼儿健康教育工作。《指南》中指出，发育良好的身体、愉快的情绪、强健的体质、协调的动作、良好的生活习惯和基本生活能力是幼儿身心健康的重要标志。

（一）身体健康

1. 生长发育良好

身高、体重、头围、胸围等各项体格发育指标、生理机能指标和生化指标符合健康标准。食欲良好、睡眠好、精力较充沛等。

2. 机体对内外界环境有一定的适应能力

幼儿具有一定的抵抗疾病的能力，较少生病；对冷热等环境的变化具有适应能力；能适应多种体位（摆动、旋转等）的变化。

3. 体能发展良好

幼儿的活动能力发展正常，各种基本动作（抬头、翻身、坐、爬、站立、走跑）适时出现；肌肉较有力，身体动作较平稳、准确、灵敏和协调；手、眼的协调能力发展良好等。

（二）心理健康

1. 动作发展正常

动作发展与脑的形态及功能的发育密切相关，幼儿躯体大动作和手指精细动作的发展水平处于正常范围是心理健康的基本条件。

2. 认知发展正常

一定的认知能力是幼儿生活与学习的重要条件。幼儿阶段是幼儿认知发展极为迅速的时期，所以应避免因各种原因造成的脑损伤或不适宜的环境刺激，防止幼儿产生不健康的心理。

3. 情绪健康，反应适度

情绪健康是心理健康的重要组成部分，积极的情绪状态可以提高幼儿活动的效率。同时，积极的情绪状态反映了中枢神经系统功能的协调性，也表明个体的身心处于良好的平衡状态。幼儿的情绪具有很大的冲动性和易变性。随着年龄的增长，情绪的自我调节能力有所增强，稳定性逐渐提高,并开始学习合理地发泄消极的情绪。

4. 人际关系融洽

幼儿之间的交往是维持心理健康的重要条件,也是获得心理健康的必要途径。心理健康的幼儿乐于与人交往,能与同伴合作,在游戏中能够谦让待人。

5. 性格特征良好

性格是个性最核心、最本质的表现,它反映在对客观现实的稳定态度和习惯化的行为方式中。心理健康的幼儿一般具有热情、勇敢、自信、主动、合作等性格特征。

6. 没有严重的心理卫生问题

幼儿发育不完善,极易产生心理问题。幼儿不健康的心理往往以各种行为方式表现出来,诸如吮吸手指、遗尿、口吃、多动等。心理健康的幼儿应没有严重的或复杂的心理卫生问题。

(三)社会性发展良好

良好的社会性是幼儿智力发展的基础,是幼儿终身发展的需要。幼儿社会性是指幼儿在生物特性的基础上,在与环境作用的过程中,掌握社会规范,形成社会技能,学习社会角色,获得社会性需要、态度、价值等,发展社会性行为,并以独特的个性与他人相互交往、相互影响,适应周围社会环境,在由自然人发展为社会人的社会化过程中所形成的心理特性。幼儿良好的社会性发展表现在以下几个方面。

(1)社会适应能力较强,能较快地融入集体生活。

(2)人际关系良好,乐于与人交往并具有较好的人际交往能力。幼儿在与他人的交往过程中,学习共享、互助、平等与友爱,能够满足自身的心理需要,使心理健康得以维持和发展。

(3)自我意识发展良好,具有一定自我调控能力,能主动地应对各种压力,以保持自己与环境之间及自身内在的平衡。

二、幼儿园健康教育的目标

幼儿园健康教育的目标具有不同的层次。从课程设计和实施的过程来看,幼儿园健康教育的目标主要包括从上而下的三个层次:总目标、年龄阶段目标和活动目标。

(一)幼儿园健康教育的总目标

《幼儿园教育指导纲要(试行)》中指出,幼儿园健康教育的总目标有如下几点:

(1)身体健康,在集体生活中情绪安定、愉快;

(2)生活、卫生习惯良好,有基本的生活自理能力;

(3)知道必要的安全保健常识,学习保护自己;

(4)喜欢参加体育活动,动作协调、灵活。

学前儿童健康教育总目标的具体内容表现在:建立良好的师生、同伴关系,让幼儿在集体生活中感到温暖,心情愉快,形成安全感、信赖感;与家长配合,根据幼儿的需要建立科学的生活常规,培养幼儿良好的饮食、睡眠、盥洗、排泄等生活习惯和生活自理能力;教育幼儿爱清洁、讲卫生,注意保持个人和生活场所的整洁和卫生;密切结合幼儿的生活进行安全、营养和保健教育,提高幼儿的自我保护意识和能力;开展丰富多彩的户外游戏和体育活动,培养幼儿参加体育活动的兴趣和习惯,增强体质,提高对环境的适应能力;用幼儿感兴趣的方式发展基本动作,提高动作的协调性、灵活性;在体育活动中,培养幼儿坚强、勇敢、不怕困难的意志品质和主动、乐观、合作的态度。

学前儿童健康教育的总目标体现了三个方面的价值取向:第一,身心和谐。学前儿童健康应包括身体健康和心理健康两个方面。幼儿的身体健康以发育健全、具备基本的生活自理能力为主要特征,幼儿的心理健康以情绪愉快、适应集体生活为主要特征。幼儿的身体健康与心理健康是密不可分的两个方面,只有身心和谐发展才能真正促进身心的健康。第二,保护与锻炼并重。学前儿童健康教育既重视幼儿掌握必要的保健知识,提高保护自身的能力,又强调通过体育活动提高幼儿身体素质。其中了解必要的安全保健知识并提高相应技能是保健教育的主要目标。第三,健康行为的形成与健康态度的转变并重。改善幼儿的健康态度,培养幼儿的健康行为是学前儿童健康教育的重点,其中幼儿健康行为的形成是学前儿童健康教育的核心目标。

(二)幼儿园健康教育的年龄阶段目标

幼儿园健康教育的年龄阶段目标是总目标在各个年龄阶段上的具体体现,是总目标的具体化。《3~6岁儿童学习与发展指南》从身心状况、动作发展、生活习惯与生活能力三个方面描述了幼儿园健康教育的年龄阶段目标,具体如下。

1. 身心状况

目标1 具有健康的体态

3~4岁	4~5岁	5~6岁
1. 身高和体重适宜。参考标准: 男孩 身高:94.9~111.7厘米 体重:12.7~21.2公斤 女孩 身高:94.1~111.3厘米 体重:12.3~21.5公斤 2. 在提醒下能自然坐直、站直。	1. 身高和体重适宜。参考标准: 男孩 身高:100.7~119.2厘米 体重:14.1~24.2公斤 女孩 身高:99.9~118.9厘米 体重:13.7~24.9公斤 2. 在提醒下能保持正确的站、坐姿势和行走姿势。	1. 身高和体重适宜。参考标准: 男孩 身高:106.1~125.8厘米 体重:15.9~27.1公斤 女孩 身高:104.9~125.4厘米 体重:15.3~27.8公斤 2. 经常保持正确的站、坐姿势和行走姿势。

注:身高和体重数据来源为《2006年世界卫生组织儿童生长标准》4~6周岁儿童身高和体重的参考数据。

目标 2　情绪安定愉快

3~4 岁	4~5 岁	5~6 岁
1.情绪比较稳定,很少因一点小事哭闹不止。 2.有比较强烈的情绪反应时,能在成人的安抚下逐渐平静下来。	1.经常保持愉快的情绪,不高兴时能较快缓解。 2.有比较强烈的情绪反应时,能在成人提醒下逐渐平静下来。 3.愿意把自己的情绪告诉亲近的人,一起分享快乐或求得安慰。	1.经常保持愉快的情绪。知道引起自己某种情绪的原因,并努力缓解。 2.表达情绪的方式比较适度,不乱发脾气。 3.能随着活动的需要转换情绪和注意力。

目标 3　具有一定的适应能力

3~4 岁	4~5 岁	5~6 岁
1.能在较热或较冷的户外环境中活动。 2.换新环境时情绪能较快稳定,睡眠、饮食基本正常。 3.在帮助下能较快适应集体生活。	1.能在较热或较冷的户外环境中连续活动半小时左右。 2.换新环境时较少出现身体不适。 3.能较快适应人际环境中发生的变化。如换了新老师能较快适应。	1.能在较热或较冷的户外环境中连续活动半小时以上。 2.天气变化时较少感冒,能适应车、船等交通工具造成的轻微颠簸。 3.能较快融入新的人际关系环境。如换了新的幼儿园或班级能较快适应。

2.动作发展

目标 1　具有一定的平衡能力,动作协调、灵敏

3~4 岁	4~5 岁	5~6 岁
1.能沿地面直线或在较窄的低矮物体上走一段距离。 2.能双脚灵活交替上下楼梯。 3.能身体平稳地双脚连续向前跳。 4.分散跑时能躲避他人的碰撞。 5.能双手向上抛球。	1.能在较窄的低矮物体上平稳地走一段距离。 2.能以匍匐、膝盖悬空等多种方式钻爬。 3.能助跑跨跳过一定距离,或助跑跨跳过一定高度的物体。 4.能与他人玩追逐、躲闪跑的游戏。 5.能连续自抛自接球。	1.能在斜坡、荡桥和有一定间隔的物体上较平稳地行走。 2.能以手脚并用的方式安全地爬攀登架、网等。 3.能连续跳绳。 4.能躲避他人滚过来的球或扔过来的沙包。 5.能连续拍球。

目标 2　具有一定的力量和耐力

3~4 岁	4~5 岁	5~6 岁
1.能双手抓杠悬空吊起 10 秒左右。 2.能单手将沙包向前投掷 2 米左右。 3.能单脚连续向前跳 2 米左右。 4.能快跑 15 米左右。 5.能行走 1 公里左右(途中可适当停歇)。	1.能双手抓杠悬空吊起 15 秒左右。 2.能单手将沙包向前投掷 4 米左右。 3.能单脚连续向前跳 5 米左右。 4.能快跑 20 米左右。 5.能连续行走 1.5 公里左右(途中可适当停歇)。	1.能双手抓杠悬空吊起 20 秒左右。 2.能单手将沙包向前投掷 5 米左右。 3.能单脚连续向前跳 8 米左右。 4.能快跑 25 米左右。 5.能连续行走 1.5 公里以上(途中可适当停歇)。

目标3 手的动作灵活协调

3~4 岁	4~5 岁	5~6 岁
1. 能用笔涂涂画画。 2. 能熟练地用勺子吃饭。 3. 能用剪刀沿直线剪，边线基本吻合。	1. 能沿边线较直地画出简单图形，或能将边线基本对齐地折纸。 2. 会用筷子吃饭。 3. 能沿轮廓线剪出由直线构成的简单图形，边线吻合。	1. 能根据需要画出图形，线条基本平滑。 2. 能熟练使用筷子。 3. 能沿轮廓线剪出由曲线构成的简单图形，边线吻合且平滑。 4. 能使用简单的劳动工具或用具。

3. 生活习惯与生活能力

目标1 具有良好的生活与卫生习惯

3~4 岁	4~5 岁	5~6 岁
1. 在提醒下，按时睡觉和起床，并能坚持午睡。 2. 喜欢参加体育活动。 3. 在引导下，不偏食、挑食。喜欢吃瓜果、蔬菜等新鲜食品。 4. 愿意饮用白开水，不贪喝饮料。 5. 不用脏手揉眼睛，连续看电视等不超过15分钟。 6. 在提醒下，每天早晚刷牙、饭前便后洗手。	1. 每天按时睡觉和起床，并能坚持午睡。 2. 喜欢参加体育活动。 3. 不偏食、挑食，不暴饮暴食。喜欢吃瓜果、蔬菜等新鲜食品。 4. 常喝白开水，不贪喝饮料。 5. 知道保护眼睛，不在光线过强或过暗的地方看书，连续看电视等不超过20分钟。 6. 每天早晚刷牙、饭前便后洗手，方法基本正确。	1. 养成每天按时睡觉和起床的习惯。 2. 能主动参加体育活动。 3. 吃东西时细嚼慢咽。 4. 主动饮用白开水，不贪喝饮料。 5. 主动保护眼睛。不在光线过强或过暗的地方看书，连续看电视等不超过30分钟。 6. 每天早晚主动刷牙，饭前便后主动洗手，方法正确。

目标2 具有基本的生活自理能力

3~4 岁	4~5 岁	5~6 岁
1. 在帮助下能穿脱衣服或鞋袜。 2. 能将玩具和图书放回原处。	1. 能自己穿脱衣服、鞋袜，扣纽扣。 2. 能整理自己的物品。	1. 能知道根据冷热增减衣服。 2. 会自己系鞋带。 3. 能按类别整理好自己的物品。

目标3 具备基本的安全知识和自我保护能力

3~4 岁	4~5 岁	5~6 岁
1. 不吃陌生人给的东西，不跟陌生人走。 2. 在提醒下能注意安全，不做危险的事。 3. 在公共场所走失时，能向警察或有关人员说出自己的名字和家长的名字及电话号码等简单信息。	1. 知道在公共场合不远离成人的视线单独活动。 2. 认识常见的安全标志，能遵守安全规则。 3. 运动时能主动躲避危险。 4. 知道简单的求助方式。	1. 未经大人允许不给陌生人开门。 2. 能自觉遵守基本的安全规则和交通规则。 3. 运动时能注意安全，不给他人造成危险。 4. 知道一些基本的防灾知识。

（三）幼儿园健康教育的活动目标

幼儿园健康教育的活动目标是指针对具体的一次教育活动内容而制定的活动目标，是教师在实施学前儿童健康教育过程中对总目标的具体化，比较强调操作的可行性与有效性。

三、幼儿园健康教育的内容

幼儿园健康教育的内容包括日常健康行为教育、饮食营养教育、身体生长发育教育、安全生活教育、心理健康教育及体育活动教育等。幼儿园健康教育活动内容一般有两个来源：一是从现有的课程中选取，如已经出版的教材、网络和实践过的课程等；二是从本班幼儿的兴趣、爱好和生活经验入手。

幼儿园健康教育的内容范围及其宽广，《幼儿园教育指导纲要（试行）》中对学前儿童健康教育提出七条"内容和要求"：

(1)建立良好的师生、同伴关系，让幼儿在集体生活中感到温暖，心情愉快，形成安全感、信赖感。

(2)与家长配合，根据幼儿的需要建立科学的生活常规。培养幼儿良好的饮食、睡眠、盥洗、排泄等生活习惯和生活自理能力。

视力筛查

(3)教育幼儿爱清洁、讲卫生，注意保持个人和生活场所的整洁和卫生。

(4)密切结合幼儿的生活进行安全、营养和保健教育，提高幼儿的自我保护意识和能力。

(5)开展丰富多彩的户外游戏和体育活动，培养幼儿参加体育活动的兴趣和习惯，增强体质，提高对环境的适应能力。

(6)用幼儿感兴趣的方式发展基本动作，提高动作的协调性、灵活性。

(7)在体育活动中，培养幼儿坚强、勇敢、不怕困难的意志品质和主动、乐观、合作的态度。

在选择健康教育内容时，为了方便操作，往往将可选用的健康教育的内容加以分类。

健康教育内容的分类

分类项目		具体内容
身体保健教育	身体生长发育	1. 认识自己的身体，学习保护常识； 2. 疾病防治常识； 3. 生长发育常识。
	生活常规	进餐、盥洗、如厕、午睡、喝水、着装、环境卫生。
	饮食与营养	1. 食品营养和饮食卫生； 2. 饮食行为习惯； 3. 合理膳食的积极态度； 4. 饮食方法与技能； 5. 民间饮食文化与风俗习惯； 6. 简单的食物处理及烹调方法。

续表

分类项目		具体内容
身体保健教育	安全生活	1. 安全和自我保护意识； 2. 安全知识教育； 3. 安全技能教育； 4. 遵守安全规则的习惯。
心理健康教育	表达自己的情感和调整情绪	1. 用正确的方式表达自己的情感； 2. 掌握常用的情绪调整方法，保持良好的心态。
	社会交往技能	1. 准确认识、评价自己与他人； 2. 分享与合作； 3. 尊重与互助； 4. 与陌生人交往的一些技巧和方法。
	行为习惯	1. 卫生习惯； 2. 生活与学习习惯。
	独立生活和学习的能力	1. 自己的事自己做； 2. 自主学习、探究学习。
	初步的性教育	1. 正确的性别认识； 2. 了解男孩、女孩不同的特点； 3. 性别认同。
体育	基本动作及游戏	走步、跑步、跳跃、投掷、平衡、钻爬、玩球。
	基本体操和队列队形	1. 基本体操，如徒手操、轻器械操； 2. 队列队形。
	器械类活动和游戏	1. 大、中型固定性运动器械与游戏，如滑梯、转椅、秋千、跷跷板、蹦床等； 2. 中、小型可移动运动器械与游戏，如拱形门、投掷架、脚踏车、滑板车等； 3. 手持的小型运动器械与游戏，如皮球、塑料球、气球、沙包、毽子、跳绳等。

四、幼儿园健康教育活动实施的方法

幼儿园健康教育活动实施的方法包括动作与行为练习法、讲解演示法、情景表演法、讨论评议法、感知体验法、讲解示范法、练习法、语言提示法和具体帮助法、游戏法等。

（一）动作与行为练习法

让幼儿对已学过的生活技能、动作行为等进行反复练习，加深理解，形成稳定的技能和良好行为习惯的方法。

（二）讲解演示法

教师边讲解边结合动作演示，或以实物、模型演示，具体而形象地向幼儿传授有关健康的知识和技能，提高幼儿对健康的认识水平。

(三)情景表演法

通过现场或视频向幼儿展示生活情景,让幼儿观察和分析情景中所涉及的健康问题。由于情景表演的主题源于生活,因而能激发幼儿的兴趣,较好地帮助幼儿认识生活中可能遇到的同类问题和冲突,树立健康的态度和行为。

(四)讨论评议法

在幼儿参与健康教育的过程中,让他们提出问题,发表自己的看法和意见,最后得出结论,形成共识。这种方法能有效地帮助幼儿表达自己的真实想法,在讨论、评议中提高他们辨别是非的能力和对健康的认识水平。

(五)感知体验法

让幼儿通过各种感官来认识和判别事物的特性。这种方法能有效地激发幼儿参与活动和在活动中探究的兴趣,加强他们对事物认识的印象。

(六)讲解示范法

讲解是教师用语言组织幼儿的活动,指导他们理解和掌握活动的名称及练习内容,领会动作的要领和做法的一种方法。示范是指教师以个体的动作为范例,使幼儿看到所要练习和掌握的动作或技能的具体形象、结构和完成的先后顺序等。在具体的活动中,讲解和示范应合理结合,并根据幼儿的年龄特点和幼儿对身体练习熟悉的程度确定讲解和示范的多寡。示范能弥补讲解的不足,而讲解能补充示范不易表达的内容。

(七)练习法

进行讲解示范后,在幼儿初步建立与活动有关的表象或概念的基础上,让幼儿在教师的指导下进行各种身体练习,以实现身体锻炼的目标。幼儿园常用以下几种方法。

(1) 重复练习法。重复练习法是指在固定的条件下反复练习的方法,如重复做某个动作或练习某个游戏等。

(2) 条件练习法。设置一定的具体条件或在改变先前练习条件的情况下,让幼儿进行练习的方法。

(3) 完整练习法和分解练习法。前者是指把整个动作或活动过程完整地进行练习的方法;后者是指将完整动作或活动过程分成几个部分,按部分逐次进行练习,最后再组合成完整动作或活动全过程进行练习的方法。

(4) 循环练习法。依次做几个不同类型和性质的动作,或依次进行几项活动内容的锻炼方法。多用于早操或户外体育活动。

(八)语言提示法和具体帮助法

前者是指在幼儿进行身体练习时,教师用简短明确的语言提示和指导幼儿正确完成动作或进行活动的方法;后者是指教师直接而具体地帮助幼儿改正错误,掌握正确的练习要求的方法。

(九)游戏法

游戏法是指以游戏的形式组织幼儿进行锻炼的方法。这种方法能将幼儿难以理解或枯燥的动作及身体素质等练习变成有趣的模仿活动或具体的游戏情节,提高幼儿练习的兴趣。

此外,还有比赛法、领做法(如分解动作示范练习)、信号法(如喊口令)等。

五、幼儿园健康教育活动实施的途径

幼儿园健康教育活动实施的途径包括体育教学活动、早操、户外体育活动、远足活动及短途旅游、运动会、健康谈话等。

(一)体育教学活动

体育课是一种有目的、有计划、有组织的体育活动,是正规性的教育活动,也是身体锻炼的基本途径。

(二)早操

早操是幼儿园在早晨开展的一种身体锻炼活动的组织形式。它是幼儿园作息制度中不可缺少的一部分,是非正规性教育活动,是正规性教育活动的延伸,也是实施幼儿身体锻炼的重要途径。

(三)户外体育活动

户外体育活动是幼儿园身体锻炼活动的重要组织形式之一,是指幼儿早操活动外的其他户外体育活动形式。它具有活动内容丰富、活动时间较长、灵活性大、幼儿自主性强等特点。

(四)远足活动及短途旅游

远足活动强调让幼儿徒步行走到某一目的地的过程,更注重锻炼和增强幼儿的体质。在组织远足活动时应注意以下几个方面。

(1)根据幼儿的年龄特点和身心发展规律,依照循序渐进的原则,设计路程和规定行进速度,确定活动量。

(2)组织形式要灵活多样,安排内容要丰富多彩,使幼儿在远足活动过程中始终贯穿浓厚的情趣。

(3)远足教育活动中,必须把安全放在首位,教幼儿学会自我保护的方法。

(五)运动会

运动会是幼儿体育活动的组织形式之一,项目新颖、参与感强、娱乐性强、形式多样,如亲子活动、趣味比赛、民族运动会、体育活动展示表演等。丰富幼儿的生活,激发幼儿参与体育活动的兴趣,培养幼儿的集体意识,是幼儿园开展运动会的主要目的。运动会一般以一个幼儿园为基本单位来开展,如果幼儿园较大,也可以分片开展,每片最好包括不同的年龄组。幼儿园运动会的形式可以是将表演与小型的比赛活动相结合,也可以开成大型的游戏活动(如有的幼儿扮演运动员,有的幼儿扮演裁判员或场地管理员、服务员等,不管怎样,每个幼儿都应扮演一个相应的角色)。

(六)健康谈话

培养幼儿从小喜欢听、谈论有关健康领域的事。利用饭后、睡前或活动间隙，采用集体、小组或个别形式进行谈话活动。谈话的内容大致涉及以下几个方面。

(1)介绍粗浅的健康知识，如近来发生的安全事件、预防传染病事件、体育赛事、卫生常识等。

(2)介绍电视新闻、报纸杂志中健康新闻热点、体育名人的有关事迹。经常组织幼儿交流经验。

项目二　幼儿园语言教育活动设计与实施

语言是交流和思维的工具。幼儿期是语言发展，特别是口语发展的重要时期。幼儿语言的发展贯穿于各个领域，也对其他领域的学习与发展有着重要的影响。幼儿在运用语言进行交流的同时，也在发展着人际交往能力、理解他人和判断交往情境的能力、组织自己思想的能力。通过语言获取信息，幼儿的学习逐步超越个体的直接感知。

幼儿的语言能力是在交流和运用的过程中发展起来的。应为幼儿创设自由、宽松的语言交往环境，鼓励和支持幼儿与成人、同伴交流，让幼儿想说、敢说、喜欢说并能得到积极回应。为幼儿提供丰富、适宜的低幼读物，经常和幼儿一起看图书、讲故事，丰富其语言表达能力，培养阅读兴趣和良好的阅读习惯，进一步拓展学习经验。

幼儿的语言学习需要相应的社会经验支持，应通过多种活动扩展幼儿的生活经验，丰富语言的内容，增强理解和表达能力。应在生活情境和阅读活动中引导幼儿自然而然地产生对文字的兴趣，用机械记忆和强化训练的方式让幼儿过早识字不符合其学习特点和接受能力。

幼儿园语言教育活动是有目的、有计划、有组织地对幼儿进行语言教育的过程。语言教育活动是实现语言教育目标的有效途径，是组织和落实语言教育任务的具体手段。幼儿的语言教育对幼儿的认知、社会性的发展有着积极的作用，它是幼儿阶段不可缺少的教育之一。什么样的语言教育才是真正适合幼儿的呢？幼儿园语言教育的目标、内容、方法和途径应该如何确定呢？这些必然依托幼儿本身语言发展的特点和幼儿学习语言的特点。

一、幼儿语言发展的特点

语言包括语音、词汇、语法三个部分。幼儿语言的发展是一个连续的从量变到质变的过程，受生理机制成熟、认知能力等的制约，呈现出固有的发展顺序和阶段。了解幼儿语言发展的特点是制定语言教育目标的依据。

(一)幼儿语音发展的特点

语音是口头语言的物质载体,是由人类发音器官发出的表达一定语言意义的声音。幼儿期是语音可塑性最大的时期。心理学的研究结果发现,3~4岁是语音发展最迅速的时期。4岁以上的幼儿能掌握本民族的全部语音。我国学者对幼儿发音情况进行了研究,得到了以下结论。

(1)发音水平随着年龄的增长逐步提高。2.5~4岁是语言发展的飞跃期,可持续到4.5岁,4~5岁幼儿的语言进步最明显。

(2)幼儿发声母比发韵母困难,同时容易将前鼻韵母和后鼻韵母混淆,错误较多。幼儿较难掌握的声母是z、c、s、zh、ch、sh、r、n、l。幼儿对zh、sh、r的发音感到困难,同时z、c、s容易与zh、ch、sh混淆。幼儿也容易将ang、eng、ing和an、en、in混淆。

(3)幼儿语言发展受到方言的干扰与影响。江浙地区的幼儿,容易用前鼻音代替后鼻音;湖南地区的幼儿,易将"老奶奶"发成"老来来";而东北地区的幼儿常常会平舌、翘舌音不分,把"春天"说成"村天"。这种现象如果不能及时纠正,将会一直延续到成年时期。

(二)幼儿词汇发展的特点

词汇是指词的总汇。一般来说,幼儿只掌握基本的口语词汇。幼儿词汇的发展呈现出数量的增加、词类范围的扩大、词义理解的确切和加深等方面的特点。

(1)词汇数量不断增加。1岁左右的幼儿才开始说出词,最初说出的词汇数量极少。到了3岁左右,幼儿的词汇到了一个高速增长的时期,这一结论得到国内外研究材料的证实。有关研究还指出,3~6岁是人的一生中词汇数量增加最快的时期,这个阶段中有两个增长的高速期:3岁是第一个高速期,6岁是第二个高速期。这种说法是否成立,尚需证实。

(2)掌握各类词类的顺序不同,内容不断丰富。有关幼儿词类的研究表明。幼儿先掌握实词,后掌握虚词。其中实词中最先大量掌握的是名词,名词在幼儿词汇中所占的比例最大,3~6岁幼儿词汇中名词占主导地位,大约占51%;其次是动词,占20%~25%;再次是形容词,占10%以上。其他实词如副词、代词、数词,虚词如连词、介词、助词、语气词等,幼儿掌握得较晚,它们在幼儿词汇中的占比也较小。随着年龄的增长,幼儿生活的范围逐渐扩大,思维能力逐渐发展,所获得的名词数量也迅速增加,不仅具体名词的范围扩大,而且同一类词的内容也在不断丰富,出现了抽象名词。形容词是幼儿使用得较多的词汇之一,幼儿使用形容词的数量随着年龄的增长而增加,且在4岁以后出现迅速发展的趋势。幼儿最早使用的形容词是描述物体特征的,大约在2岁;到2.5岁时,开始使用饿、饱、痛等关于机体感觉的形容词;到3岁时,开始使用描述动作和人体外形的形容词,最后才是描述个性、品质、表情、情感以及事件、情境的形容词。从使用频率上看,使用频率最高的是描述物体特征的,其次是描述动作、人体外形、机体感觉的,再次是描述个性、品质、表情、情感的,使用率最低的是描述事件、情境的。

(3)对词义的理解不断确切和深化。同一个词,不同年龄阶段的幼儿对其含义的理解水平是不同的。幼儿最初掌握词汇时,可能对词汇的理解是不确切的,以后逐渐确切和加深。

(三)幼儿语法发展的特点

语法由一系列语法单位和有限的语法规则构成,是语言中最为抽象的基础性系统,是语言的民族特点和一个人的语言能力的最为基本的表现。幼儿的语法因学习语言的主客观条件的不同而表现出不同程度的差异,但有相似的发展趋势。

1. 句型从不完整向完整发展

幼儿最初的句子结构是不完整的,大约2岁以后,逐渐出现比较完整的句子。完整句的数量和比例随着年龄的增长而增加。到6岁左右,大多数幼儿使用的句子是完整句。完整句又可以分为简单句和复合句、陈述句和非陈述句、无修饰句和修饰句。在学前期,幼儿的句型有一个从简单句到复杂句、从陈述句到非陈述句的过程,以简单的陈述句为主。在修饰句型的发展上,是从无修饰句到有修饰句。幼儿最初说的句子是没有修饰语的,2~3岁幼儿的语言中开始出现一些修饰语的形式,到4岁,有修饰语的语句开始占优势。

2. 语句结构处于不断发展变化中

第一,从混沌一体到逐步分化。幼儿早期的语言功能由表达情感、表达意图和指物意图三者紧密结合到逐步分化,词语的词性由不分化到逐渐分化,句子结构由主谓不分的不完整句发展到结构层次分明的完整句。

第二,从松散到逐步严谨。幼儿最初的句子不仅结构简单,而且不完整,常漏掉或缺少一些句子成分。随着年龄的增长,句子结构逐渐复杂而且严密,意义较明确、易理解。

第三,从压缩、呆板到逐步扩展和灵活。幼儿最初说出的语句只有一些核心词,因此显得陈述内容单调、形式呆板,只能是千篇一律的、由几个词组成的。随着年龄的增长,幼儿会用一些修饰词,最后达到灵活运用修饰词,表现内容也逐渐丰富。

3. 句子的含词量不断增加

随着年龄的增长,幼儿说出的句子的含词量有增加的趋势。研究表明,3~4岁幼儿以含4~6个词的句子占多数;4~5岁幼儿以含7~10个词的句子占多数;5~6岁幼儿大多数句子含有7~10个词,同时出现不少于11~16个词的句子。

二、幼儿语言学习的特点

幼儿的语言学习是指个体通过有目的的教学活动而掌握某种语言的过程,换言之,也是幼儿掌握语言符号并使用语言符号与它所代表的事物建立联系的过程。幼儿语言学习的一般程序是指在一定的语言学习环境之中,由语言输入、内化、语言输出、反馈四个环节构成的连锁过程。幼儿语言学习是幼儿主动建构、主动模仿的过程,是幼儿语言个性化的过程,是幼儿语言综合化的过程,是幼儿语言循序渐进、逐步积累的过程。

(一)语言学习是幼儿主动建构、主动模仿的过程

幼儿学习各种语言符号及其结构组织方式的过程是一个主动建构的过程。一方面,在幼儿学习语言的过程中,幼儿对于周围人们提供给他们的语言会进行各种选择,只有那些他们能

理解、能模仿的语言才会被他们所注意,并有意识地去加以练习。另一方面,在语言交际环境中,当幼儿有交往的需要时,他们才主动地搜索记忆中的词汇和句子,尝试着进行表达。而且,在有交际需要的情形下,当幼儿因词汇贫乏或语法错误在交谈中使对方产生理解障碍时,幼儿才会感觉到学习新词的紧迫性,才会有意识地利用这种交际环境与机会向别人学习新词、新句。

同时,幼儿学习语言不仅仅是一个直接模仿的过程,他们还总是会根据自己的需要进行创造性、变通式的模仿,将听到的句子稍加变动,变成自创的语言进行表达。幼儿在语言方面的模仿有以下四种方式。

1. 即时的,完全模仿

这种模仿主要出现在小班初期。如一个幼儿说:"我爸爸是警察。"另一个幼儿也模仿着说:"我爸爸是警察。"但从实际情况来看,两个幼儿的爸爸未必都是警察。

2. 即时的,不完全模仿

这类模仿多见于小班初期。如教师在指导小班幼儿感知物体的"软"和"硬"修饰词时,要求幼儿用语言表达感知观察的结果。教师说:"玩具熊的毛摸上去软软的。"幼儿模仿说:"玩具熊软软的。"

3. 延迟模仿

幼儿从各种渠道自然而然地接收各种信息,但往往由于某种原因不会立即去模仿,而是相隔一段时间后,当某种类似的情景出现时,自然而然地产生模仿。如教师在活动中说了一句:"请小朋友们坐好,小手放到膝盖上。"当幼儿与同伴进行角色游戏(上课)时,立即就会产生模仿:"请小朋友们坐好,小手放到膝盖上。"并且模仿得非常到位。

4. 创造性模仿(选择性模仿)

创造性模仿是幼儿期模仿说话的主要形式,是按照范句的句法结构,在新的情境中表述新的内容。这类模仿不是简单地重复别人原有的词汇和句子,而是以原有的词句的结构或内容为参照物,在创造性想象的基础上进行新的语言构型。比如幼儿刚学会"一边……一边……"的句子,他们往往会不切实际地充分发挥自己的想象力造句,如"我一边说话,一边唱歌"。虽说不切实际,却反映了幼儿创造性的模仿。因此,在幼儿园语言教育中应该经常采用示范、模仿和强化的方法,引发幼儿的创造性模仿,尽量为幼儿创造适合其进行创造性模仿的语言环境。

(二)语言学习是幼儿语言个性化的过程

通过幼儿模仿语言的过程中表现出来的选择性和变通性可以看出,幼儿语言是一个个性化的过程。每个幼儿都在依据已有的经验和已积累的语言与周围人交往,并从他人的语言中学习新的语言成分。如果为幼儿提供完全相同的语言范型,来自不同家庭的幼儿模仿的结果也大相径庭。在日常生活中,我们几乎很少见到两个说话完全相同的人。从每个人的语言表达情况看,常常表现出跨情景的一致性,即经常表现出特定的语言习惯,包括口头禅、习惯性的音调等。

从语言所反映的内容来看,人们喜欢谈论的主题往往因人而异。幼儿对事物的喜好和兴趣极具个性,这使幼儿对语言表达的兴趣充满了个性色彩。如,有的幼儿喜欢各式各样的车,也喜欢各种车的名称和专业术语,于是,在这些幼儿所掌握的词汇中,有大量反映"车"的词汇和句子。

不论是语言表达的内容,还是语言表达的形式,幼儿都表现出较为明显的个体差异。此外,幼儿喜欢学习哪些词汇和句子,喜欢模仿哪种表达方式,幼儿交谈的话题,对何种题材的文学作品有兴趣等,都有明显的差异。总之,幼儿语言学习的过程是一个极具个性特征的过程。不同的幼儿在语言学习的速度、效果、运用语言进行交谈的积极性等方面也都表现出不同的特点。为此,幼儿的语言教育必须在顾及同龄幼儿群体需要的同时,照顾个别幼儿独特的发展特征。

(三)语言学习是幼儿语言综合化的过程

语言是一种符号,总要反映一定的事物。幼儿学习语言时,必然要弄懂语言的含义,也就是要理解词语所代表的一类事物,它反映事物的哪些方面的特征,表达怎样的思想感情等。因此,幼儿学习语言的过程往往和他们认识事物的过程相联系。例如,只有当幼儿对西红柿的各个方面的特征都有所认识,并知道它属于蔬菜时,才有可能真正理解"西红柿"这个词的含义。

幼儿通过日常交往和各种教育活动获得大量语言,这些语言内容涉及幼儿生活的各个方面,从幼儿自己的身体特征到心理感受;从幼儿家庭到幼儿园,再到周围社区;从各种自然物或自然现象到人际交往和社会常识……可以说,语言领域的学习与其他领域的学习是紧密联系在一起的。

以幼儿园科学教育为例,幼儿往往是在教师的语言指导下进行各种科学探索活动的。他们在科学探索过程中不断与同伴和教师就有关的科学知识和科学方法展开讨论。当发现某种科学知识或取得某种探索结果之后,他们又会用语言把自己的发现表达出来,和同伴互相交流……在此过程中,幼儿即获得了有关的科学概念、科学术语,在与教师及同伴的对话交流中,用完整连贯的语言表达自己的探索过程和结果时,幼儿又获得了语言学习的机会,从而逐步提高自己语言表达的能力。可以说,这种科学探索活动为幼儿提供了很好的语言学习机会,使他们获得了多种语言经验。在此意义上,我们很难说这种活动究竟是科学教育,还是语言教育,它表现出极为明显的综合化的特点。

(四)语言学习是一个循序渐进、逐步积累的过程

幼儿学习和掌握语音、词汇、句子,都需要一个过程,从无到有,从不理解到部分理解再到完全理解,积少成多,逐步形成、逐步完善。幼儿对语言的掌握、词义的理解、语法的运用还很不成熟,常常出现理解错误、表达错误的情况。

教师和家长在与幼儿交谈时要照顾到幼儿的年龄特点。通常家长对孩子说话的方式和对成人说话的方式不一样,多用短句,多做描述,语速比较慢,语音比较清晰。当他们听不懂孩

子的话时,反应往往不像对成人那样直接,他们常常会鼓励孩子做一些补充或解释。如果教师也能像家长对待自己的孩子一样对待幼儿,那将有助于激励幼儿说话的积极性,促进其语言学习。

幼儿对语言的学习不是简单的"教什么就学什么",而是有明显的兴趣倾向和选择,往往他们感兴趣的就容易积极主动地投入学习;反之,则效果较差。在教师向幼儿呈现一个新词或向幼儿介绍一篇文学作品之后,往往需要反复多次才能让幼儿真正理解与领会。教师不能期望立竿见影,今天教给幼儿一个新词或一个故事,明天幼儿就会用这个词、会讲这个故事。幼儿语言的学习在很大程度上要靠日积月累。教师要多给幼儿提供语言范例,多向幼儿介绍各种各样的文学作品,丰富幼儿的语言经验。这对幼儿语言的发展既有现实意义又有长远意义。当然,如果教师能充分了解幼儿当前的语言发展状况,并以此为基础提出略高于幼儿现有水平的要求,那么幼儿就可以达到"跳一跳摘到果子"的水平,在语言发展上"更上一层楼"。

三、幼儿园语言教育的目标

幼儿园语言教育的目标是整个幼儿园语言教育的纲领,它确定了幼儿园语言教育的方向,使教育者明确通过幼儿阶段的教育,要使幼儿在语言的哪些方面获得什么样的发展,达到何种水平。教育目标总是具有一定的可供分析的结构,幼儿园语言教育目标也不例外。从纵向的角度来看,幼儿园语言教育目标具有一般的层次结构,它可以分为幼儿园语言教育的总目标、年龄阶段目标和活动目标;从横向的角度看,幼儿园语言教育目标具有独特的分类结构,可以分为倾听行为培养、表述行为培养、欣赏文学作品行为培养、早期阅读行为培养。

(一)幼儿园语言教育的总目标

学前儿童语言教育的总目标是学前儿童语言教育任务和要求的总和,即学前儿童语言教育所期望的最终结果。《幼儿园教育指导纲要(试行)》中指出,幼儿园语言教育的总目标有如下几点:

(1)乐意与人交谈,讲话礼貌;
(2)注意倾听对方讲话,能理解日常用语;
(3)能清楚地说出自己想说的事;
(4)喜欢听故事、看图书;
(5)能听懂和会说普通话。

(二)幼儿园语言教育的年龄阶段目标

幼儿园语言教育的年龄阶段目标是总目标在各个年龄阶段上的具体体现,也就是对幼儿园各个年龄班幼儿语言发展提出的具体要求。每一个年龄阶段的具体目标都建立在上一个年龄阶段语言发展的基础上,同时对这个阶段的幼儿具有一定的挑战意义,使幼儿在经过语言学习后能更上一层楼。《3~6岁儿童学习与发展指南》从倾听与表达、阅读与书写准备两个方面描述了幼儿园语言教育的年龄阶段目标,具体如下。

1. 倾听与表达

目标1　认真听并能听懂常用语言

3~4 岁	4~5 岁	5~6 岁
1. 别人对自己说话时能注意听并做出回应。 2. 能听懂日常会话。	1. 在群体中能有意识地听与自己有关的信息。 2. 能结合情境感受到不同语气、语调所表达的不同意思。 3. 方言地区和少数民族幼儿能基本听懂普通话。	1. 在集体中能注意听老师或其他人讲话。 2. 听不懂或有疑问时能主动提问。 3. 能结合情境理解一些表示因果、假设等相对复杂的句子。

目标2　愿意讲话并能清楚地表达

3~4 岁	4~5 岁	5~6 岁
1. 愿意在熟悉的人面前说话，能大方地与人打招呼。 2. 基本会说本民族或本地区的语言。 3. 愿意表达自己的需要和想法，必要时能配以手势动作。 4. 能口齿清楚地说儿歌、童谣或复述简短的故事。	1. 愿意与他人交谈，喜欢谈论自己感兴趣的话题。 2. 会说本民族或本地区的语言，基本会说普通话。少数民族聚居地区幼儿会用普通话进行日常会话。 3. 能基本完整地讲述自己的所见所闻和经历的事情。 4. 讲述比较连贯。	1. 愿意与他人讨论问题，敢在众人面前说话。 2. 会说本民族或本地区的语言和普通话，发音正确清晰。少数民族聚居地区幼儿基本会说普通话。 3. 能有序、连贯、清楚地讲述一件事情。 4. 讲述时能使用常见的形容词、同义词等，语言比较生动。

目标3　具有文明的语言习惯

3~4 岁	4~5 岁	5~6 岁
1. 与别人讲话时知道眼睛要看着对方。 2. 说话自然，声音大小适中。 3. 能在成人的提醒下使用恰当的礼貌用语。	1. 别人对自己讲话时能回应。 2. 能根据场合调节自己说话声音的大小。 3. 能主动使用礼貌用语，不说脏话、粗话。	1. 别人讲话时能积极主动地回应。 2. 能根据谈话对象和需要，调整说话的语气。 3. 懂得按次序轮流讲话，不随意打断别人。 4. 能依据所处情境使用恰当的语言。如在别人难过时会用恰当的语言表示安慰。

2. 阅读与书写准备

目标1　喜欢听故事，看图书

3~4 岁	4~5 岁	5~6 岁
1. 主动要求成人讲故事、读图书。 2. 喜欢跟读韵律感强的儿歌、童谣。 3. 爱护图书，不乱撕、乱扔。	1. 反复看自己喜欢的图书。 2. 喜欢把听过的故事或看过的图书讲给别人听。 3. 对生活中常见的标识、符号感兴趣，知道它们表示一定的意义。	1. 专注地阅读图书。 2. 喜欢与他人一起谈论图书和故事的有关内容。 3. 对图书和生活情境中的文字符号感兴趣，知道文字表示一定的意义。

目标 2　具有初步的阅读理解能力

3~4 岁	4~5 岁	5~6 岁
1.能听懂短小的儿歌或故事。 2.会看画面，能根据画面说出图中有什么，发生了什么事等。 3.能理解图书上的文字是和画面对应的，是用来表达画面意义的。	1.能大体讲出所听故事的主要内容。 2.能根据连续画面提供的信息，大致说出故事的情节。 3.能随着作品的展开产生喜悦、担忧等相应的情绪反应，体会作品所表达的情绪情感。	1.能说出所阅读的幼儿文学作品的主要内容。 2.能根据故事的部分情节或图书画面的线索猜想故事情节的发展，或续编、创编故事。 3.对看过的图书、听过的故事能说出自己的看法。 4.能初步感受文学语言的美。

目标 3　具有书面表达的愿望和初步技能

3~4 岁	4~5 岁	5~6 岁
喜欢用涂涂画画表达一定的意思。	1.愿意用图画和符号表达自己的愿望和想法。 2.在成人提醒下，写写画画时姿势正确。	1.愿意用图画和符号表现事物或故事。 2.会正确书写自己的名字。 3.写、画时姿势正确。

(三)幼儿园语言教育的活动目标

幼儿园语言教育的活动目标一般由教师自己制定,它有两层含义:一层是指各项学前教育活动所指向的幼儿语言发展目标;另一层则特指语言教育活动目标,如谈话活动目标、讲述活动目标、听说游戏活动目标、文学作品学习活动目标、早期阅读活动目标等。因此,在专门的语言教育活动中,其目标要指向为幼儿提供尽可能丰富、有益的经验,为其全面发展做贡献。

幼儿园语言教育目标的分类结构是指教育目标的组合构成。任何教育目标都不是单一的,往往由若干任务要求总和而成。不管从哪一个阶段出发,语言教育目标的最终归宿必然是幼儿语言的发展。应该从幼儿语言能力的构成、语言教育的作用和语言教育目标本身的角度来进行语言教育目标的分类,可分为以下四大类。

1. 倾听行为培养

倾听是幼儿感知和理解语言的行为表现,也是幼儿不可缺少的一种行为能力。只有懂得倾听、乐于并善于倾听的人,才能真正理解语言的内容、语言的形式和语言运用的方式,掌握与人进行语言交流的技巧。幼儿倾听行为的培养,应着重放在对汉语语音、语调的掌握和语义内容的理解上。幼儿园语言教育对幼儿倾听技能的要求包括有意识倾听(集中注意地倾听)、辨析性倾听(分辨不同内容的倾听)、理解性倾听(掌握倾听的主要内容,联系上下文意思的倾听)等。目前,幼儿园语言教育中主要存在重说、轻听的问题。其实倾听是最根本的前提,它是幼儿园语言教育目标的重要组成部分。

2. 表述行为培养

表述是以一定的语言内容、语言形式以及语言运用方式表达和交流个人观点的行为,是幼儿语言学习和语言发展的主要表现之一。只有懂得表述的作用,愿意向别人表达自己的见解,并且具备表述能力的人,才能真正地与人进行语言交际。幼儿表述行为能力发展的重点是学习正确恰当地进行口语表达；从语音、语法、语义以及语用四个方面掌握母语的表达方法；由简到繁、由短到长地提高表达水平。因而，表述行为培养是幼儿园语言教育目标的重要组成部分。

3. 欣赏文学作品行为培养

欣赏文学作品是感知、理解文学作品并尝试操作艺术语言方式的行为。文学作品是通过语言塑造形象、表现生活的艺术作品，带有口语的特点，却又不同于口语，它们是艺术语言的结合体，也是书面语言的反映。欣赏文学作品对幼儿的语言学习以及其他方面的学习具有特别的意义。

4. 早期阅读行为培养

早期阅读行为是指幼儿从口头语言向书面语言过渡的前期阅读准备和前期书写准备。早期阅读行为的培养包括让幼儿在学前阶段知道图书和文字的重要性，愿意阅读图书和辨认汉字，同时掌握一定的阅读和书写的准备技能等。由此可见，早期阅读行为培养主要在于能激发幼儿阅读的兴趣，使其养成良好的阅读习惯，掌握早期阅读的有关技能。

四、幼儿园语言教育的内容

幼儿园语言教育的内容是指幼儿园传授给幼儿的语言形式、语言内容、语言运用的总和，是教给幼儿一套特定的语言符号系统，并指导幼儿学习运用这套符号系统进行交际。依据幼儿园语言教育目标确定教育内容，是把教育目标中的各部分、各方面要求转换为幼儿学习语言的内容。本书幼儿园语言教育内容的分类主要参照张明红的分类方式，将幼儿园语言教育的内容分为专门的语言教育内容和渗透的语言教育内容。

（一）专门的语言教育内容

专门的语言教育内容主要是为幼儿提供机会，对他们在日常语言交际中获得的语言素材进行提炼和深化，达到幼儿能够理解及有意识地运用语言规则的目的。它主要包括学讲普通话、谈话、讲述、早期阅读和文学作品学习活动等方面，是我国目前幼儿园语言教育中经常采用的基本内容。

1. 学讲普通话

普通话是指以北京语音为基础音，以北方话为基础方言，以典范的现代白话文著作为语法规范的口头语言。幼儿期为语音发展的关键期，因此，学好普通话至关重要。学讲普通话作为幼儿语言学习的重要内容，具体包括：学会按照普通话的语音规范正确发音；丰富词汇、正确理解和运用词汇；学会按照普通话的表达方式讲话等。

《盘中餐》

2. 谈话

谈话是人们之间以问答或对话形式进行的语言交往活动，包括个别交谈和集体交谈两种。幼儿运用语言与人交往是从交谈开始的。谈话在培养语言交际意识、情感、能力等方面有特别重要的意义。

《一园青菜成了精》

(1)个别交谈。注意别人对自己讲的话,并做出积极应答(以表情、声音、手势、体态、词、句等不同方式);懂得听讲轮换;主动发起与成人或同伴的个别交谈;注意倾听对方讲的话,并听懂意思;针对对方讲的话来陈述自己的意见,并使对方听懂;耐心地把对话延续下去,集中注意力询问和答话。

(2)集体交谈。积极参与多人、小组或全班的交谈;注意倾听教师在集体活动中的提问,并做相应回答;注意倾听同伴在集体中的发言,根据谈话主题陈述自己的意见;针对别人的发言能提出评价性意见。

3. 讲述

讲述用的是比较连贯的独白语言,要求语言内容比较丰富,语句结构完整。幼儿进行讲述时,通常需要图片、情景表演、教学玩具等来提示讲述的主题和主要内容,帮助构思语句。幼儿讲述自己感兴趣的熟悉的事情时,则应培养他们不用辅助材料,进行回忆和构思,用恰当的语句表述。因此,要选择多种讲述内容和形式,使他们在以下几个方面得到发展:

爱上阅读

绘本阅读

(1)会用几句话描述事物;

(2)描述图片上的物体或人们的动作及心理活动;

(3)讲述自己的经验(亲身经历的过程);

(4)讲述图片所表现的事情(重点在事物间的关系上);

(5)讲述图片内容所发生事情的过程(并利用想象补充完整情节);

钟紫琪《有趣的十二生肖》

(6)能理解多幅图片间的联系及表现出的情节,并会进行连贯讲述。

4. 早期阅读

早期阅读是由口头语言向书面语言过渡,理解口语和书面语言之间关系的重要经验;是幼儿凭借色彩、图像、文字或通过成人形象地读、讲来理解读物的活动过程;是幼儿接触书面语言的途径,包含一切与书面语言学习有关的内容。根据幼儿园早期阅读活动的目标,幼儿早期阅读包含前阅读、前识字、前书写。"前"字标在前面,是为了强调这些经验与幼儿进入小学后将要进行的正式书面语言学习有着根本的区别。前阅读经验包括:翻阅图书的经验;读懂图书内容的经验——知道图书画面、文字与口语具有对应关系;图书制作的经验。前识字经验包括:知道文字有具体的意义;理解文字功能与作用的经验;初步了解文字来源的经验;知道文字是一种符号,并与其他符号系统可以转化的经验;知道语言和文字的多样性的经验;了解识字规律的经验。前书写经验包括:认识汉字的独特书写风格,知道汉字的基本间架结构;了解书写的初步规则,尝试用有趣的方式练习基本的笔画;知道书写汉字的工具;学会用正确的书写姿势写字。

5. 文学作品学习活动

文学作品学习活动是幼儿学习童话、幼儿生活故事、幼儿诗歌、散文、谜语、绕口令等幼儿文学作品的活动。在日常生活中,文学作品因其丰富的语言、生动有趣的情节、个性鲜明的角色以及富有哲理的主题深受幼儿喜爱,这也促使文学作品学习成为幼儿学习规范语言、丰富词汇的有效手段。文学作品的学习主要包括聆听与感受文学作品、朗诵与表演文学作品、仿编与创编文学作品三个方面。

(二)渗透的语言教育内容

相对于专门的语言教育内容,渗透的语言教育内容结构比较松散,主要是利用幼儿的各种生活经验,利用日常活动和其他活动为幼儿提供充分而又广泛的学习和运用语言的机会。语言作为重要的交际工具,无时无刻不伴随着幼儿的各项活动。因此,发挥语言在各项活动中的渗透作用,应该是语言教育的一条必经之路,在日常生活中、人际交往中、游戏活动中、各领域学习活动中有必要加强这方面教育的力度,使之与专门的语言教育内容相呼应,将幼儿的语言学习落到实处。

1. 日常生活中语言教育的内容

(1)在集体活动和个别交往的场合中,能认真倾听教师关于遵守行为规则的要求,以此指导和约束自己与他人的行为。

(2)在掌握行为规则的基础上,学习用语言评价自己和同伴的行为。

(3)理解并执行教师的指令。

(4)在他人面前大胆讲述自己的见闻。

2. 人际交往中语言教育的内容

(1)正确使用礼貌用语。

(2)用语言向他人提出请求和表达愿望。

(3)用适当的词句或语气、语调,与同伴展开讨论或辩论,协商与调解同伴之间的纠纷等。

3. 游戏活动中语言教育的内容

(1)游戏时与同伴进行随意交谈,结合游戏情节自言自语或进行恰当的对话。

(2)同伴之间会用语言协商、讨论与合作,共同开展游戏。

(3)用连贯性语言评价游戏的规则执行情况与游戏开展情况,对游戏进行适当的小结。

4. 各领域学习活动中语言教育的内容

(1)能积极主动地提出问题和解答问题。

(2)能完整连贯地讲述所观察到的事物或现象。

(3)在集体中,能较长时间地倾听教师对各种学习内容的讲解和指导,理解学习的内容。

(4)能用几种不同的符号来表述对认知内容和认知过程的感受与认识。

五、幼儿园语言教育的方法

幼儿园语言教育的方法,是保证幼儿获得知识、技能、技巧的方法,是教师指导幼儿学习的方法,其实质是成人为发展幼儿的语言创设条件和提供机会,让幼儿参与各种丰富多彩的活动,让幼儿在与人、物、环境、材料等交互作用的过程中,学习语言,发展语言。幼儿园语言教育方法是根据幼儿语言发展的年龄特点、幼儿学习语言的规律、幼儿园语言教育的目标以及多年来幼儿园语言教育实践经验归纳出来的。一般的方法有示范模仿法,视、听、讲、做结合法,游戏法,表演法,练习法等。

(一)示范模仿法

示范模仿法是指教师通过自身的规范化语言,为幼儿提供语言学习的样板,让幼儿在良好的语言环境中自然地模仿学习,有时也可以由语言发展较好的幼儿来示范。示范模仿法运用中需注意以下几点。

1. 教师的示范语言一定要规范到位

幼儿园教师讲话时,除了咬字清楚、发音准确、辅以自然的表情和恰当的手势外,还要注意语言的表达力,包括运用恰当的音量、语调、语速等。教师的语言示范必须正确、清楚、响亮,而且要富于表现力和感染力。

2. 教师要把握好示范的时机和力度

幼儿园语言教育中新的、幼儿不易掌握的学习内容,教师要反复地重点示范,如难发准的音、新学习的词句、人物的对话、连贯的讲述、需要幼儿作为仿编参照的原词句等,让幼儿有意识地进行模仿学习。

严春琳
《乌龟一家去看海》

3. 教师要恰当地运用"显性示范"和"隐性示范"的手段

幼儿园语言教育中教师要恰当地运用"显性示范"和"隐性示范"两种手段。对于教学重点和难点问题,依据幼儿语言发展的水平和特点恰当地选用不同的示范方法。

4. 教师要积极观察幼儿的语言表现,妥善地运用强化原则

教师要关注在各种活动中幼儿的语言表现,善于发现幼儿语言发展的差异,给予因材施教,要随时鼓励幼儿正确的语言行为和习惯,并加以强化。

(二)视、听、讲、做结合法

视、听、讲、做结合法是幼儿进行语言教育的重要方法,它是依据"直观法"和"观察法",幼儿思维的具体形象性和词句本身的概括性,以及结合幼儿语言学习的特殊性而提出的。即在幼儿通过视觉、听觉、触觉等感知客观物体特征、性质的基础上,使词和词所代表的客观事物同时作用于幼儿,使教育活动进行得生动活泼,激发幼儿学习的兴趣,帮助幼儿对词义的理解和记忆。在视、听、讲、做结合法中,所谓"视",是指教师提供具体形象的讲述对象,让幼儿充分地观察;所谓"听",是指教师用语言描述、启发、引导、暗示、示范等,让幼儿充分地感知与领会;所谓"讲",是指幼儿在感知、理解的基础上,充分地表述个人的认识;所谓"做",是指教师给幼儿提供一定的想象空间,通过幼儿的参与或独立操作,帮助幼儿充分地构思,从而组织更加丰富、连贯、完整、富有创造性的语言进行表达。这一方法的具体运用需注意以下几点。

(1)教师所提供的语言教育辅助材料,应该是幼儿接触过的、较熟悉的或符合幼儿认知特点的。

(2)教会幼儿观察被讲述对象的方法,给幼儿预留一定的观察时间和空间。

(3)教师的提问要有顺序性、启发性,帮助幼儿构思与表述。

(4)根据幼儿的语言实际水平,提出不同的表述要求,要求幼儿在动手、动脑、动口的学习中获得语言经验。

(三)游戏法

游戏法是指教师运用有规则的游戏,训练幼儿正确发音,丰富幼儿词汇和学习句式的一种方法。游戏是符合幼儿年龄特点的活动,运用游戏法进行教育是幼儿园语言教育中常见的活动方式。目的在于提高幼儿的学习兴趣,促使幼儿集中注意力,促进幼儿各种感官和大脑的积极活动。这一方法的具体运用需注意以下几点。

(1)明确游戏的目的和内容。
(2)精心设计游戏的名称、玩法和规则,增强游戏的趣味性。
(3)准备充足的游戏材料,进行游戏场景布置和角色装扮。
(4)恰当选择游戏的时机。

语言小游戏1

(四)表演法

表演法是指在教师的指导下,幼儿学习表演文学作品,从而提高口语表现力的一种方法。这一方法的具体运用需注意以下几点。

(1)理解文学作品的内容,适当排练。
(2)鼓励幼儿运用生动有趣的语言、表情和动作大胆表演。
(3)认真布置表演场景,准备表演道具和化妆用品。

语言小游戏2

(五)练习法

语言小游戏3

练习法是指有意识地让幼儿多次使用同一个语言因素(如语音、词汇、句子等)或训练幼儿某方面语言技能、技巧的一种方法。幼儿通过练习可以加深对内容的理解,牢固掌握相关的语言知识,熟练运用语言技能。在幼儿园语言教育中有着大量的口头练习。这一方法的具体运用需注意以下几点。

(1)明确练习的要求,逐步提高练习的要求。
(2)幼儿应在理解内容的基础上练习。
(3)练习方式应生动活泼,形式变换多样,避免简单、枯燥地重复,从而调动幼儿练习的积极性。

项目三 幼儿园社会教育活动设计与实施

幼儿社会领域的学习与发展过程是其社会性不断完善并奠定健全人格基础的过程。人际交往和社会适应是幼儿社会学习的主要内容,也是其社会性发展的基本途径。幼儿在与成人和同伴交往的过程中,不仅学习如何与人友好相处,也在学习如何看待自己、对待他人,不断发展适应社会生活的能力。良好的社会性发展对幼儿身心健康和其他各方面的发展都具有重要影响。

家庭、幼儿园和社会应共同努力,为幼儿创设温暖、关爱、平等的家庭和集体生活氛围,建立良好的亲子关系、师生关系和同伴关系,让幼儿在积极健康的人际关系中获得安全感和信任感,发展自信和自尊,在良好的社会环境及文化的熏陶中学会遵守规则,形成基本的认同感和归属感。

幼儿的社会性主要是在日常生活和游戏中通过观察和模仿潜移默化地发展起来的。成人应注重自己言行的榜样作用,避免简单生硬的说教。

社会是由一定数量个体构成的有机整体,是人类生活的共同体。幼儿是在现实生活中的个体,在成长的过程中,社会性发展是伴随人的一生的,不是自然状态下就能获得的。当今社会对未来社会人的要求不仅体现在智力发展上,更多地指向人的社会性发展。

一、社会性发展和幼儿园社会教育

(一)社会性发展

1. 社会性发展的内容

社会性发展是人从"自然人"过渡到"社会人"的必经之路,是随着时间发展不断形成社会特征,成为具有社会意义的人的成长过程。社会性发展的内容主要包括自我意识、社会认知、依恋、同伴交往、亲社会行为、性别概念、攻击性行为等。

2. 幼儿社会性发展的特点

(1)自我意识。自我意识是个体对自己的认识,包括对自己生理的状况与心理特征,自己与他人、周围社会的关系的认识。社会教育可以帮助幼儿进行自我认识,体验积极的自我情感,学习调节、控制自己的言行。

2岁左右,人的自我认知建立起来,认为自己是区别于其他人和物体的独立个体。

在自我认识方面,7岁之前,幼儿对自己的描述仅限于身体特征、年龄、性别和喜爱的活动等,还不会进行心理特征描述。在自我评价方面,自我评价能力在3岁幼儿中还不明显,自我评价开始发生的转折年龄在3.5~4岁,5岁幼儿绝大多数已能进行自我评价。幼儿的自我情感体验由与生理需要相联系的情绪体验向社会性情感体验不断深化、发展,同时又表现出易受暗示性。自我控制能力在3、4岁幼儿中还不明显。从缺乏自我控制到有目的自我控制的转折年龄在4~5岁。5~6岁幼儿绝大多数都有一定的控制能力。总的来说,幼儿的自我控制能力还是较弱的。

(2)社会认知。社会认知是人对社会性客体及其之间的关系的认知,如对人(他人和自我)、人际关系、社会群体、社会角色、社会规范和社会生活事件的认知,以及对这种认知与人的社会行为之间的关系的理解和推断。要获得社会认知的发展,关键是要具备观点采择能力。研究表明,4~5岁幼儿已具备了初步的观点采择能力,6~10岁是观点采择快速发展的阶段。观点采择能力是社会认知的核心能力,幼儿只有先学会站在他人的角度理解他人、看待问题,社会认知能力才能得到进一步发展。

(3) 依恋。广义的依恋,是指个体对某一特定个体(或群体)的持久的物感联结。狭义的依恋,是指幼儿(特别是婴儿)与成人(父母与其他看护者)之间所形成的持久的情感联结。在依恋关系中,父母起到的影响比其他看护者都要大。安全的依恋关系使幼儿具有更强的安全感,可以更大胆地探索世界,积极地与周围人群相处,更容易适应各种社会环境。

6~8个月的幼儿会产生离别焦虑,他们把父母看作安全保障,真正的依恋关系开始形成。随着语言的发展,幼儿逐渐理解父母的意图,离别焦虑下降,除了早期抚养经历,幼儿也自我构筑了一种内在工作模式,它将引导幼儿在未来建立各种关系。

幼儿对亲人的依恋方式,取决于父母对他们的教养方式(安全型依恋的幼儿的母亲是负责任的养育者,她们对孩子的信号敏感,乐意与孩子亲密接触),还受到幼儿的气质特点等因素的影响(如难以养育的幼儿容易让照料者厌烦,无法对母亲的关心做出积极的反应)。

(4) 同伴交往。同伴交往是指同伴之间为交流认识或情感而相互作用的过程。幼儿与同伴交往的特点主要体现在:模仿现象普遍存在,物品是重要的交往媒介,许多交往由物品引起,语言在交往中起到越来越重要的作用。幼儿与成人和同伴间的共同生活、交往、探索、游戏等,是其社会学习的重要途径。应为幼儿提供人际间交往和共同活动的机会和条件,并加以指导。在这样的学习途径下,幼儿可以有更多与同伴交往的机会,他们可以相互协商、讨论、分享、交流,交往的能力和水平会不断提高。

同伴之间的强化和模仿进一步提升了幼儿的交往技能,2.5~6岁幼儿所表现的交往特点包括:①爱模仿,易受到同伴交往行为的影响。②物品是幼儿交往的重要媒介。③语言在交往过程中起到越来越重要的作用。

进入幼儿园,幼儿与同伴接触的次数增加,他们不再把成人作为唯一的依靠对象。他们开始主动寻求同伴,喜欢和同伴共同参与活动,与同伴的交往比以前密切、频繁和持久。从3岁开始,幼儿偏爱同性同伴,经常与同性同伴一起游戏、活动。3~4岁的幼儿,依恋同伴的强度和与同伴建立起友谊的数量有显著增加。语言的发展也使同伴间的交往更加有效。幼儿从事的社会性程度较高的合作性游戏大大增多。

(5) 亲社会行为。亲社会行为是指对他人或社会有利的行为及趋向。包括在人际交往中表现出的帮助、安慰或救助他人,与他人合作、分享、谦让,甚至包括赞扬他人,使他人愉快等行为;在社会群体中表现出的遵守纪律、不大声喧哗、不吸烟等行为;在社会环境中表现出的爱护公物、节约用水用电等行为。亲社会行为又称利他行为。

有研究表明,幼儿很早就表现出利他行为,幼儿的利他规范是一个逐渐确立的过程,在这一过程中,父母与幼儿的关系质量起着重要作用。有利他倾向的幼儿,其父母至少一方(通常是同性)对其进行过利他价值观的教育并做出榜样示范。另外,父母对幼儿的爱对于他们情感上的安全需要是必要的,而情感安全有助于幼儿利他倾向的发展。尽管亲社会行为出现的时间很早,但亲社会行为是随着年龄的增长而变化的,这就需要教育者关注幼儿亲社会行为的发展,熟悉影响幼儿亲社会行为的因素,促进幼儿亲社会行为的发展。

(6)性别概念。幼儿的性别概念主要包括三个部分,性别认同、性别稳定性和性别恒常性。性别认同是幼儿对自己和他人的性别的正确标定。2岁半时,幼儿能正确地说出自己的性别和他人的性别。性别稳定性是幼儿对人一生性别保持不变的认识,3~4岁的幼儿已经能认识到。性别恒常性则是对人的性别不因为其外表和活动的改变而改变的认识,幼儿一般到6~7岁才能获得性别恒常性的认识。幼儿的性别认同的产生早于性别稳定性,性别恒常性认同出现最晚。幼儿所处的生活环境对其性别恒常性的发展影响不大;大约在9岁左右,幼儿开始能够用语言解释性别的稳定性和恒常性。

(7)攻击性行为。攻击是幼儿比较常见的社会行为,也是社会性发展的重要方面。心理学家对攻击性行为的界定至今仍存在分歧,攻击是指给行为造成伤害的行为。从攻击性行为的意向性可以分为两类:工具性攻击和敌意性攻击。

研究表明,幼儿的工具性攻击呈减少趋势,敌意性攻击呈增多趋势。小班幼儿工具性攻击显著地多于敌意性攻击,中班幼儿工具性攻击和敌意性攻击行为次数之间不存在显著差异,大班幼儿的敌意性攻击次数显著地多于工具性攻击。另外,幼儿在2~4岁,攻击形式发展的总趋向是身体攻击逐渐减少,语言攻击相对增多。3岁左右幼儿地踢、踩、打等身体攻击逐渐增多,3岁以后,身体攻击的频率降低,但同时语言攻击却增多了。

通过社会教育,帮助幼儿形成正确的社会认知,学习合理的情绪宣泄方式,学会移情,可以让幼儿意识到攻击性行为的危害,从而减少攻击性行为的发生。

(二)幼儿园社会教育

幼儿园社会教育是指幼儿园专门以发展幼儿的社会性为目标,以增进幼儿的社会认知、激发幼儿的社会情感、引导幼儿的社会行为为主要内容的教育。社会教育是幼儿全面发展的重要组成部分,是由社会认知、社会情感及社会行为技能构成的有机整体。

幼儿园社会教育即旨在促进幼儿社会性发展的教育,主要涉及幼儿为了适应社会,在社会中独立地生存与发展所需要学习的内容,包括对自我、对他人、对社会的认知;产生积极的社会性情感;形成适应社会且被社会接纳的行为。幼儿园社会教育的实质是做人的教育,促进幼儿成为健康的、独立的、主动的、自律的、个性开朗的、有创新意识的人。

幼儿期是人格塑造与养成的关键期,也是社会性发展的关键期,因此,在幼儿期对幼儿进行社会教育具有关键作用,其教育影响具有不可替代性。

二、幼儿园社会教育的目标

(一)幼儿园社会教育的总目标

幼儿园社会教育目标需要遵循社会教育的特点和幼儿社会性发展的特点,从幼儿与自我的关系、幼儿与他人的关系、幼儿与社会的关系中寻求适宜的目标。

1. 幼儿与自我关系的维度

(1) 初步了解有关自己成长的基本知识。
(2) 形成良好的自我服务的能力。
(3) 具有基本的独立性和自主性。
(4) 形成积极的自我概念、自我评价、自尊、自信、自我管理的能力。
(5) 具有健康的情绪,学会理解、表达和调节自己的情绪。
(6) 形成善良、勤劳、谦虚、勇敢、坚强等良好的个性品质。
(7) 具备适宜的社会行为,学会合理展示和控制自己的行为。
(8) 有尊重生命,有自我保护的意识和能力。

2. 幼儿与他人关系的维度

(1) 愿意与他人共同活动,主动交往,与他人建立积极、友好关系的能力。
(2) 尊重他人和他人的劳动成果,能够辨别并理解他人的情绪和行为,欣赏他人。
(3) 有同情心。
(4) 有礼貌、分享、合作、助人、与他人共同解决问题的社会交往技能和品质。
(5) 能接纳、欣赏他人的意见和观点的态度。

3. 幼儿与社会关系的维度

(1) 认识自己生活的家庭、社区等社会环境。
(2) 认识周围不同职业人们的劳动及其与自己生活的关系。
(3) 关心大自然、关心周围环境的意识和爱护它们的情感,发展对环境的责任感。
(4) 了解并逐步掌握基本的道德规范与行为准则,包括交通规则、集体学习生活规则、公共场所规则、文明行为规范等。
(5) 了解并欣赏具有代表性的地方文化和我国的传统文化,对家乡和祖国文化感兴趣。
(6) 了解世界是由许多国家和民族组成的,愿意接触或了解不同国家、不同种族的外国人,形成尊重和接纳其他民族和国家的文化的态度和价值观。对世界文化感兴趣。

(二)幼儿园社会教育年龄阶段的目标

1. 人际交往

目标1　愿意与人交往

3~4岁	4~5岁	5~6岁
1. 愿意和小朋友一起游戏。 2. 愿意与熟悉的长辈一起活动。	1. 喜欢和小朋友一起游戏,有经常一起玩的小伙伴。 2. 喜欢和长辈交谈,有事愿意告诉长辈。	1. 有自己的好朋友,也喜欢结交新朋友。 2. 有问题愿意向别人请教。 3. 有高兴的或有趣的事愿意与大家分享。

目标 2　能与同伴友好相处

3~4 岁	4~5 岁	5~6 岁
1. 想加入同伴的游戏时，能友好地提出请求。 2. 在成人指导下，不争抢、不独霸玩具。 3. 与同伴发生冲突时，能听从成人的劝解。	1. 会运用介绍自己、交换玩具等简单技巧加入同伴游戏。 2. 对大家都喜欢的东西能轮流、分享。 3. 与同伴发生冲突时，能在他人帮助下和平解决。 4. 活动时愿意接受同伴的意见和建议。 5. 不欺负弱小。	1. 能想办法吸引同伴和自己一起游戏。 2. 活动时能与同伴分工合作，遇到困难能一起克服。 3. 与同伴发生冲突时能自己协商解决。 4. 知道别人的想法有时和自己不一样，能倾听和接受别人的意见，不能接受时会说明理由。 5. 不欺负别人，也不允许别人欺负自己。

目标 3　具有自尊、自信、自主的表现

3~4 岁	4~5 岁	5~6 岁
1. 能根据自己的兴趣选择游戏或其他活动。 2. 为自己的好行为或活动成果感到高兴。 3. 自己能做的事情愿意自己做。 4. 喜欢承担一些小任务。	1. 能按自己的想法进行游戏或其他活动。 2. 知道自己的一些优点和长处，并对此感到满意。 3. 自己的事情尽量自己做，不愿意依赖别人。 4. 敢于尝试有一定难度的活动和任务。	1. 能主动发起活动或在活动中出主意、想办法。 2. 做了好事或取得了成功后还想做得更好。 3. 自己的事情自己做，不会的愿意学。 4. 主动承担任务，遇到困难能够坚持而不轻易求助。 5. 与别人的看法不同时，敢于坚持自己的意见并说出理由。

目标 4　关心尊重他人

3~4 岁	4~5 岁	5~6 岁
1. 长辈讲话时能认真听，并能听从长辈的要求。 2. 身边的人生病或不开心时表示同情。 3. 在提醒下能做到不打扰别人。	1. 会用礼貌的方式向长辈表达自己的要求和想法。 2. 能注意到别人的情绪，并有关心、体贴的表现。 3. 知道父母的职业，能体会到父母为养育自己所付出的辛劳。	1. 能有礼貌地与人交往。 2. 能关注别人的情绪和需要，并能给予力所能及的帮助。 3. 尊重为大家提供服务的人，珍惜他们的劳动成果。 4. 接纳、尊重与自己的生活方式或习惯不同的人。

2. 社会适应

目标 1　喜欢并适应群体生活

3~4 岁	4~5 岁	5~6 岁
1. 对群体活动有兴趣。 2. 对幼儿园的生活好奇，喜欢上幼儿园。	1. 愿意并主动参加群体活动。 2. 愿意与家长一起参加社区的一些群体活动。	1. 在群体活动中积极、快乐。 2. 对小学生活有好奇和向往。

目标2　遵守基本的行为规范

3~4岁	4~5岁	5~6岁
1. 在提醒下，能遵守游戏和公共场所的规则。 2. 知道不经允许不能拿别人的东西，借别人的东西要归还。 3. 在成人提醒下，爱护玩具和其他物品。	1. 感受规则的意义，并能基本遵守规则。 2. 不私自拿不属于自己的东西。 3. 知道说谎是不对的。 4. 知道接受了的任务要努力完成。 5. 在提醒下，能节约粮食、水电等。	1. 理解规则的意义，能与同伴协商制定游戏和活动规则。 2. 爱惜物品，用别人的东西时也知道爱护。 3. 做了错事敢于承认，不说谎。 4. 能认真负责地完成自己所接受的任务。 5. 爱护身边的环境，注意节约资源。

目标3　具有初步的归属感

3~4岁	4~5岁	5~6岁
1. 知道和自己一起生活的家庭成员及与自己的关系，体会到自己是家庭的一员。 2. 能感受到家庭生活的温暖，爱父母，亲近与信赖长辈。 3. 能说出自己家所在街道、小区（乡镇、村）的名称。 4. 认识国旗，知道国歌。	1. 喜欢自己所在的幼儿园和班级，积极参加集体活动。 2. 能说出自己家所在地的省、市、县（区）名称，知道当地有代表性的物产或景观。 3. 知道自己是中国人。 4. 奏国歌、升国旗时能自动站好。	1. 愿意为集体做事，为集体的成绩感到高兴。 2. 能感受到家乡的发展变化并为此感到高兴。 3. 知道自己的民族，知道中国是一个多民族的大家庭，各民族之间要互相尊重，团结友爱。 4. 知道国家一些重大成就，爱祖国，为自己是中国人感到自豪。

（三）幼儿园社会教育的活动目标

确立合适的活动目标是社会教育中最重要的环节之一，活动目标的设置是否恰当，对于整个教学活动起着至关重要的作用。教师在确立活动目标时，应查阅相关资料，明确教学活动的方向和教学需要达到的目的，还应根据幼儿社会性发展的已有水平和存在的问题确定具体的教学活动内容。制定社会教育目标时应以幼儿的社会性发展水平、社会要求和社会教育学科的发展为依据。

三、幼儿园社会教育的内容

1. 自我意识

自我意识指的是自己认识自己的一切，自我意识主要包括自我认识、自我情感体验和自我调控。

(1) 自我认识。自我认识包括自我对生理、心理及社会关系中的认识，具体主要包括自我感觉、自我形象、自我分析、自我概念和自我评价等。

(2) 自我情感体验。自我情感体验主要是指幼儿所需要获得的积极的社会性情感，主要包括主动性、自信心、羞耻感、自豪感、成就感、自信心、自尊感、责任等。

(3) 自我调控。自我调控主要是指通过自己调节和控制,主动出现相应社会系统中期待的情绪和行为,或不出现相应社会系统中所不接纳的情绪和行为。具体包括独立自主的能力、遵守信用、遵守时间、吃苦耐劳、不怕困难、克服困难、承受挫折等。

2. 人际交往

人际交往活动是指教师通过创造一定的情境和条件,引导幼儿学习某种人际交往能力的教育活动,其目的在于通过为幼儿提供交往的机会,构建人际交往的平台,培养幼儿关心、理解、尊重和赞赏他人的人际交往态度,学习与掌握人际交往的技能,逐渐学会与人友好相处。人际交往活动的主要特征包括交往的互动性,即只有在真正的人际交往中,幼儿才能切实体会到端正交往态度,掌握人际交往的方法,与他人友好相处;交往对象的多元化,主要包括与家长、教师、同伴及其他社会成员的交往。

人际交往的具体内容包括尊重他人、肯定鼓励他人、关爱他人、主动关心帮助他人、有礼貌地对待他人、团结协作、与他人沟通交流、处理人际冲突等。

3. 社会规范

社会规范是社会公民认可并遵守的规范,一般是约定俗成的,是人们必须遵守的合理合法的行为准则。幼儿的规则意识和执行规则的能力是适应社会,独立地在社会中生存与发展的必要条件,关系到幼儿将来的生活幸福和事业成功。社会规范主要包括道德规范、习俗规范和安全规范。

儿童的社会规范敏感期发生在2.5~6岁,这一阶段是认识、理解以及形成社会规范行为的最佳时期。具体表现在:①没有意识到社会规范的存在,自己喜欢做什么就做什么。②规范行为具有情境性和不稳定性。③能意识到社会规范的存在并能在权威人士的要求下遵从社会规范,但还不理解这样做的真正意义。④在公共场所,能主动用社会规范约束自己以及他人的行为。

(1) 道德规范。道德规范是规范人的社会行为的,是具有是非对错之分的,通常是绝对的,不可违反的。道德规范包含了各种为人处世的规范,主要分为交往规范和公共道德规范,公共道德规范主要包括交通规范、爱惜动物、爱护环境的规范、爱护公物的规范、公共场所中的其他各项规范。

(2) 习俗规范。习俗规范是指相应的社会环境中要求个体出现的适宜行为,通常是可变的、相对的。对于幼儿而言,遵守自己所在群体的各项规范最为重要。如在游戏中,遵守游戏规则,和其他幼儿友好合作地开展游戏;生活中,遵守集体指令,不插队、会轮流,主动为集体服务等。

(3) 谨慎规范。谨慎规范是指为了不让自己产生消极后果而遵守的各项规范,是保障自己获得安全的各项规范。如应对灾难时所需要遵守的保护自己的规则、各项生活活动中保护自己的规则、外出活动时保护自己的规则、独自一人时保护自己的规则等。

4. 多元文化

多元文化包括了凝聚在一个民族的世世代代的全部财富中的生活方式的总和,包括衣、食、住、行等物的制作方式，待人接物、言谈举止等交际方式和风度，甚至是民族、宗教、道德法律、文学艺术、风俗传统、科学中的思想方法等。当下社会要求幼儿园开展让幼儿关注民族文化和世界文化的内容，理解世界各地、各民族是相互依存、相互影响的。

幼儿园的多元文化教育应立足本地区和本国实际，富有本地区民族特色的，并借鉴其他地区乃至其他国家文化的园本文化，它包含多个层次：园本化、本土化、国际化，三者相互联系、相互促进，是一个统一的有机体。

民族文化要让幼儿关注自己所属的社会群体和文化，既爱用日常生活中伴随的基本文化常识，又要理解本民族、本地区最具代表性的文化传统，包括传统的民族礼仪、传统节日活动、传统的道德伦理观等，世界文化则要关注不同民族、种族、国家的人和文化，让幼儿以宽广的视野看待文化的多样性和差异性。

选择幼儿园社会教育内容时，可参考以下几点。

（1）根据国家及地方课程标准和权威教材中社会领域方面的要求，确定社会教育的内容。参照国家及地方有关社会教育内容的文件，解读社会教育内容的价值取向。如教育部颁布的《纲要》《指南》都涉及幼儿园社会教育的具体内容与内容选择的导向。

（2）将幼儿所处的社会生活环境作为内容选择的载体。社会教育的内容应该是贴近幼儿的生活的，选取具有地方特色的素材让幼儿学习，不仅丰富了幼儿的社会认知，更能自然地激发幼儿爱家乡、爱祖国的情感。

（3）利用当下发生的重大社会事件作为幼儿社会教育的内容。社会教育的内容需取"与时俱进"，不断变化发展。幼儿园教师要善于发现社会生活中新的社会事件中存在的学习内容，丰富幼儿的社会经验。

（4）根据幼儿的发展水平及存在的问题选择社会教育的内容。教师在选择教育内容时，必须考虑幼儿的身心发展水平，主要是幼儿的年龄特点，本园、本班幼儿的发展水平及幼儿的个体发展水平。另外，教师还应该观察幼儿的日常生活，发现幼儿在生活中存在的问题，有针对性地确定教育内容，对幼儿进行教育。如幼儿经常争抢玩具，就可以进行有关"分享"的系列活动。

四、幼儿园社会教育的方法

（一）参观法

参观法是根据社会领域教育的目的与任务，组织幼儿在园内或园外场所，让幼儿通过实际事物和现象的观察、思考而获得新的社会知识与社会规范的教育方法。

参观的内容包括静态的社会环境和动态的社会现象。社会现象应发生在相应的社会环境中。社会环境包括书店、超市、医院等；社会现象包括人与环境或者人与人之间的互动，如人在书店看书、人与售货员交流、患者看提示标志到相应科室看病等。

教师与参观场所的工作人员进行合作，组织幼儿有秩序地参观，并让幼儿带着任务参观，年龄较大的幼儿可以以小组的形式进行参观，并采取适当的记录形式。参观过程中的介绍应避免幼儿听不懂的术语。

(二)观察学习法

观察学习法是由社会心理学家提出的,其代表人物班杜拉的核心思想就是观察学习。通过模仿或观察学习,个体直接学会新的行为模式。幼儿通过观察学习而获得相应的社会认知与行为的方法,就是观察学习法。这种方法强调幼儿的主体作用,观察学习法有三大优越性:一是通过观察、模仿、学习,幼儿可以立即学习新的行为模式。二是通过观察学习,可以激励隐藏在内心的行为倾向变为外部的实际行为。三是对行为模式的模仿可以改变、消除或强化个体原有的行为模式。社会心理学家将观察学习分为四个步骤,分别是注意、记忆、行为复出、强化或调节。教师在进行观察学习时,要选择具有代表性、教育意义强、符合幼儿心理特征的人物或范例进行学习。

在应用观察法时应注意以下几个问题。

(1)呈现观察对象,让幼儿对观察主题产生兴趣。例如,在"分享"活动中,可以先让幼儿观看《孔融让梨》的动画片,引起幼儿的注意。

(2)分析需要让幼儿观察的相关言行。例如,在"分享"活动中,通过教科书的讲解和分析,帮助幼儿理解谦让的含义。

(3)让幼儿对观察结果进行实践,例如,在"分享"活动中,教师创设需要幼儿分享的情境,开展食物或玩具的分享活动,让幼儿经常能实践观察到的分享行为。

(4)强化有益的观察结果。例如,在"分享"活动中,教师要对幼儿出现的分享行为以鼓励、奖励等方式进行及时的正强化,增强幼儿产生行为模式的欲望。

(三)角色扮演法

角色扮演法是幼儿扮演一定的社会角色,表现与这一角色一致的且符合这一角色的规范的社会行为,并在此过程中感受角色间的关系,感知和理解他人的感受、行为经验,从而掌握自己承担的角色所应遵循的社会行为规范和道德要求。特指个人设身处地地去扮演另一个在实际生活情境中与自己不同的角色的行动过程,从而形成角色所需要的某些经验和行为习惯。

(四)移情训练法

移情训练法是指成人通过幼儿的现实生活事件或通过讲故事、情境表演等方式,引导幼儿设身处地地站在他人的位置考虑问题,使幼儿理解和分享他人的情绪、情感体验,从而与之产生共鸣的训练方法。

(五)价值澄清法

价值澄清法是由美国心理学家、教育家路易斯·拉斯提出的,认为每个人都有自己的价值观,而且每个人都依照自己的价值观行事。价值观尽管是个人的、相对的,是不能被他人灌输的,但有理智的人类应该有能力学会运用"评价过程"进行价值澄清,从而形成稳定的价值观。价值澄清法就是促进幼儿内部心理活动进行价值选择、价值确定,然后付诸外部行动的方法。

价值澄清法

在进行价值澄清时,通常可以让幼儿用价值排队的方法来实现。如让幼儿自由选择价值;让幼儿从尽可能多的选择内容中选择;让幼儿对各种选择过程及其后果三思后再作选择;让幼儿珍惜和重视自己的选择;让幼儿公开和表示自己的选择,并得到大家的认可;让幼儿根据自己的选择采取适宜的行动;让幼儿重复根据自己的选择采取行动,使之成为个人的生活方式。

五、幼儿园社会教育的途径

幼儿园社会教育的途径主要包括有计划、有目标、有组织的、专门的社会教育活动,也包括渗透的、非专门的社会教育活动。只有将专门和非专门的社会教育活动综合运用,才能达到社会学习的最佳效果。

(一)专门的社会教育活动

开展具有文化教育任务的教学活动能够传递文化知识,此类活动主要以课堂形式开展,活动任务明确,计划翔实,组织严谨,能引导更多的幼儿同时参与活动,效率较高,如运用照片、视频、实物教具等手段让幼儿学习人际交往技能、各国的民俗习惯、各种环境设施等。教育形式包括集体教育、小组教育和个别教育。

(二)非专门的社会教育活动

非专门的社会教育活动是指除专门的社会教育活动以外,随机、渗透在一日生活或其他教育活动中的社会教育活动。主要包含以下几类活动。

1. 日常生活活动

教育活动内容的组织应充分考虑寓教育于生活中。如比利时的幼儿园,幼儿每天上午安排了70分钟的传统活动时间,下午安排了50分钟的民间舞蹈活动时间。泰国的幼儿园,幼儿每天上午安排了半小时的时间学习文化和认识周围环境;在进餐活动中,学习饮食习惯及进餐礼仪,了解各地文化;在入园和离园时,进行礼貌教育。

在日常生活中要特别注重让幼儿参与各类节日活动,各种重要节日、纪念日都是宝贵的多元文化教育资源,幼儿园应适时加以利用。节日能让幼儿体验到愉快的情绪,节日中渗透了众多传统文化经典。美国认为节假日是儿童分享不同风俗习惯的好时机,开展庆祝活动,使幼儿有机会习得不同文化的新信息,养成对多元文化的积极态度。幼儿园开展节日庆祝活动时,既要关注本国、本地区的节日,如春节、清明节、端午节、中秋节、重阳节等,又要关注其他国家的节日,如圣诞节、母亲节、感恩节等。一日生活的其他环节也可让幼儿进行社会学习。

(1)早晨来园:可进行礼貌教育。

(2)晨间劳动:可进行劳动意识和行为的教育,培养幼儿做事认真的态度。

(3)晨间洗手:可进行讲卫生的教育,培养幼儿排队意识,进行节约用水的教育。

(4)值日生劳动:可培养幼儿服务他人的意识,培养幼儿的责任心,加强幼儿的自信心及成就感。

(5)进餐:可进行爱惜粮食、文明进餐的教育。

(6)如厕:可培养幼儿的生活自理能力,教育幼儿文明如厕。

(7)午睡:可让幼儿掌握自己穿脱衣服的能力,教育幼儿遵守规则,不影响他人休息。

2. 游戏活动

游戏是幼儿最喜爱、最能发挥主体性的活动,游戏本身就是幼儿认识社会、参与社会生活的一种独特的方式,幼儿可以在游戏中学习遵守游戏规则,认识不同的社会角色、社会环境,了解不同的社会规则,提高交往的技能,产生恰当的社会行为,形成良好的社会情感和个性等。对社会性发展影响较大的游戏,主要是区角游戏、户外集体游戏等。

(1)在区角游戏中,幼儿自主选择,自发地活动。区角游戏主要靠投放活动材料来实现教育功能。幼儿园中与社会教育密切相关的区域主要有各类角色扮演区域、建构区、表演区、图书角等。

(2)户外集体游戏一般是指由教师组织的、在户外进行的、以发展幼儿体能为目的集体游戏。这些游戏在发展幼儿体能的同时,也有社会教育的价值,主要体现在学会遵守规则、学会去自我中心化学会合作等方面。

3. 其他领域的渗透活动

除了社会领域,幼儿园的其他领域也都会渗透社会学习的内容,幼儿的发展是整体连贯的,幼儿园教育是全面的,因此,要充分发挥各领域中整合式的教育功能。如语言领域中的早期阅读活动——阅读绘本《团圆》,幼儿在熟悉作品、理解作品的基础上,也会强化爱父母、盼团圆的情感。科学领域中的有趣的皮影活动,幼儿除了探究光与影的关系,也能感受中华优秀传统文化的魅力,萌生文化自信。教师在组织各领域活动时,要对构成活动内容的材料进行深入分析,进一步挖掘材料所蕴含的教育价值,将其在活动中充分地运用。

4. 专题社会实践活动

专题社会实践活动是指幼儿园开设的有针对性的社会化活动,是根据一个时期幼儿需要或存在的突出问题设计的专题性的实践活动。如大部分幼儿具有自我中心的年龄特点,在与父母相处的过程中,更多的是索取,没有形成有关父母需要的认知,不会主动爱父母,不知道爱父母的方法。幼儿园可以以此开展系列专题活动,如"重阳节"系列活动,邀请父母来幼儿园,收集父母的愿望,为父母做一件力所能及的事,在教师的引导下帮父母洗一次脚,请父母畅言活动的感受;"今天我当家"系列活动,与父母角色互换,让幼儿做父母,体验叫孩子起床、为孩子拿碗筷、带孩子上街买菜等,感知做父母的不易,从而能换位思考,理解父母、体谅父母,萌发爱父母的情感。

5. 家庭与社区的合作教育

社会学习是一个漫长的需要积累的过程,需要幼儿园与家庭和社会密切合作,协调一致,形成教育的合力,共同促进幼儿良好的社会性发展。家庭和社会特别是社区的介入教育,可以让幼儿感受到温暖,对自己与他人更信任,产生良好的自我意识,产生归属感,更能适应各种环境中的社会生活。如利用家访深入了解幼儿在家庭的情况,宣传科学育儿观,建立家园联系平台(网络、家园联系栏、家园联系手册),与社区联合举办家庭教育讲座,等等。

项目四 幼儿园科学教育活动设计与实施

幼儿的科学学习是在探究具体事物和解决实际问题中,尝试发现事物间的异同和联系的过程。幼儿在对自然事物的探究和运用数学解决实际生活问题的过程中,不仅获得丰富的感性经验,充分发展形象思维,而且初步尝试归类、排序、判断、推理,逐步发展逻辑思维能力,为其他领域的深入学习奠定基础。

幼儿科学学习的核心是激发探究兴趣,体验探究过程,发展初步的探究能力。成人要善于发现和保护幼儿的好奇心,充分利用自然和实际生活机会,引导幼儿通过观察、比较、操作、实验等方法,学习发现问题、分析问题和解决问题;帮助幼儿不断积累经验,并运用于新的学习活动,形成受益终身的学习态度和能力。

幼儿的思维特点是以具体形象思维为主,应注重引导幼儿通过直接感知、亲身体验和实际操作进行科学学习,不应为追求知识和技能的掌握,对幼儿进行灌输和强化训练。

任务一 幼儿园科学探究活动设计与实施

一、幼儿科学学习的特点

幼儿园科学教育活动设计与实施教学设计

(一)3~4岁幼儿科学学习的特点

1. 认识处于不分化的混沌状态

3~4岁幼儿对一些物体及现象分辨不清,容易混淆。例如,有的幼儿把绿草、绿叶称为"绿花";有的幼儿把树干称为"木头";有的幼儿认识柳树后,把其他的树也称为"柳树"。

2. 认识带有模仿性,缺乏有意性

3~4岁幼儿不仅不会有意识地围绕一定的目的去认识某一事物,也不善于根据自己的所见、所闻、所知来表达自己的认识、调节自己的行为,而是喜欢模仿他人的言行。

3. 认识带有明显的拟人化倾向

由于3~4岁幼儿受自我中心的影响,常以自己的生活体验去解释各种事物和现象,而且认识带有明显的拟人化现象。例如,除了给花草浇水之外,也用饼干来喂花草。

4. 认识带有表面性和片面性

3~4岁幼儿喜欢色彩鲜艳、声音悦耳、会动的事物,对自己不感兴趣的事物或特点似乎视而不见,因此容易导致认识事物的表面性和片面性。

(二)4~5岁幼儿科学学习的特点

1. 好奇好问

4~5岁幼儿对大自然已产生浓厚的兴趣,喜欢用感官去探索、了解新事物。经常向成人提问,不仅喜欢问"是什么",而且还爱问"为什么"。例如,"这是什么?""洗衣机为什么能洗衣服啊?"。

2. 初步理解科学现象中表面的和简单的因果关系

4~5岁幼儿已可以感知自然现象,并理解一些表面的和简单的因果关系。例如,"经常给花浇水,就会开花""小鸟没有翅膀就不能飞了"。

3. 开始根据事物的表面属性、功能和情景进行概括分类

4~5岁幼儿在已有感性经验的基础上,开始能对具体事物进行概括分类,但概括水平还较低。其分类依据主要是具体事物的颜色、形状等表面属性、功能和情境等。例如:利用图片进行分类时,幼儿把苹果、梨、桃归为一类,认为"能吃,吃起来水多";把太阳、卷心菜等归为一类,因为"都是圆的"。

(三)5~6岁幼儿科学学习的特点

1. 有积极的求知欲望

5~6岁幼儿对周围世界有着积极主动的求知探索态度,并渴望得到答案。

2. 初步理解科学现象中比较内在的、隐藏的因果关系

5~6岁幼儿已经开始能够从内在的、隐藏的原因来理解科学现象的产生。例如,在解释乒乓球从倾斜的积木上滚落时会说:"乒乓球是圆的,积木是斜的,球放上去就会滚。"说明幼儿此时已能从客体的形状与客体的位置之间的关系,即用熟悉的、复杂的"圆"和"斜"的关系来寻找乒乓球滚落的原因。但对日常生活中不熟悉的、复杂的因果关系还较难理解。

3. 能初步依据事物的本质属性进行概括分类

随着抽象逻辑思维的发展5~6岁幼儿开始能够依据事物的本质属性,按照客观事物的分类标准进行初步概括分类。例如,把具有坚硬的嘴,身上长有羽毛、翅膀和两条腿,人们饲养的鸡、鸭、鹅等归为家禽类。

二、幼儿园科学教育的目标

幼儿园科学教育的目标是构成科学教育实践活动的第一要素和前提,它是教师进行科学教育的指导思想和制订计划的依据。幼儿园科学教育的目标具有不同的层次。从课程设计和实施的过程来看,幼儿园科学教育的目标主要包括从上而下的三个层次:总目标、年龄阶段目

标和活动目标。

(一)幼儿园科学教育的总目标

幼儿园科学教育的总目标是幼儿阶段科学教育总的任务要求,它指出了进行科学教育的范围和方向,是科学教育所期望的最终结果。《幼儿园教育指导纲要(试行)》指出,幼儿园科学教育的总目标有如下几点:

(1)对周围的事物、现象感兴趣,有好奇心和求知欲;

(2)能运用各种感官,动手动脑,探究问题;

(3)能用适当的方式表达、交流探索的过程和结果;

(4)能从生活和游戏中感受事物的数量关系并体验到数学的重要和有趣;

(5)爱护动植物,关心周围环境,亲近大自然,珍惜自然资源,有初步的环保意识。

(二)幼儿园科学教育的年龄阶段目标

幼儿园科学教育的年龄阶段目标是总目标在各个年龄阶段上的具体体现,是总目标的具体化,它把科学教育的总目标按不同年龄幼儿的发展水平进行了具体划分,反映了不同年龄阶段幼儿园科学教育目标要求的差异性。《指南》从亲近自然,喜欢探究;具有初步的探究能力;在探究中认识周围事物和现象三个方面描述了幼儿园科学教育的年龄阶段目标,具体如下。

目标1 亲近自然,喜欢探究

3~4岁	4~5岁	5~6岁
1.喜欢接触大自然,对周围的很多事物和现象感兴趣。 2.经常问各种问题,或好奇地摆弄物品。	1.喜欢接触新事物,经常问一些与新事物有关的问题。 2.常常动手动脑探索物体和材料,并乐在其中。	1.对自己感兴趣的问题总是刨根问底。 2.能经常动手动脑寻找问题的答案。 3.探索中有所发现时感到兴奋和满足。

目标2 具有初步的探究能力

3~4岁	4~5岁	5~6岁
1.对感兴趣的事物能仔细观察,发现其明显特征。 2.能用多种感官或动作去探索物体,关注动作所产生的结果。	1.能对事物或现象进行观察比较,发现其相同与不同。 2.能根据观察结果提出问题,并大胆猜测答案。 3.能通过简单的调查收集信息。 4.能用图画或其他符号进行记录。	1.能通过观察、比较与分析,发现并描述不同种类物体的特征或某个事物前后的变化。 2.能用一定的方法验证自己的猜测。 3.在成人的帮助下能制订简单的调查计划并执行。 4.能用数字、图画、图表或其他符号记录。 5.探究中能与他人合作与交流。

目标3　在探究中认识周围事物和现象

3~4岁	4~5岁	5~6岁
1.认识常见的动植物,能注意并发现周围的动植物是多种多样的。 2.能感知和发现物体和材料的软硬、光滑和粗糙等特性。 3.能感知和体验天气对自己生活和活动的影响。 4.初步了解和体会动植物和人们生活的关系。	1.能感知和发现动植物的生长变化及其基本条件。 2.能感知和发现常见材料的溶解、传热等性质或用途。 3.能感知和发现简单物理现象,如物体形态或位置变化等。 4.能感知和发现不同季节的特点,体验季节对动植物和人的影响。 5.初步感知常用科技产品与自己生活的关系,知道科技产品有利也有弊。	1.能察觉到动植物的外形特征、习性与生存环境的适应关系。 2.能发现常见物体的结构与功能之间的关系。 3.能探索并发现常见的物理现象产生的条件或影响因素,如影子、沉浮等。 4.感知并了解季节变化的周期性,知道变化的顺序。 5.初步了解人们的生活与自然环境的密切关系,知道尊重和珍惜生命,保护环境。

(三)幼儿园科学教育的活动目标

幼儿园科学教育活动目标指的是要在一次或一个系列科学教育活动中达到的教育效果。它是根据幼儿园科学教育总目标和年龄阶段目标,并结合教育活动的内容和幼儿的特点提出的具体的、可操作性的目标。

1.科学教育活动目标应包含三个方面

(1)情感、态度与价值观(有好奇心和探究热情,并有初步的科学精神和态度)。

(2)方法与技能(观察、动手操作、动脑思考、表达等)。

(3)科学知识(获得有关周围事物及其关系的知识经验,并有使用倾向)。

2.科学教育活动目标的特征

幼儿园科学教育活动目标是教师开展幼儿园科学教育活动时的具体依据和指导,它应该具有以下几个特征。

(1)教育活动目标所期望的结果应基本上是可以观察或测量到的。因此,从表述的方式上说,教育活动目标通常采用"行为目标"的方式来表述,如"通过操作,探索使各种物体转动起来的方法"。而对于那些很难表现为外部行为的目标内容,如兴趣、情感和态度方面的发展目标,也可采用其他的方式来表述。

(2)教育活动目标应全面反映幼儿园科学教育总目标和年龄阶段目标的要求。也就是说,一个科学教育活动的目标,应涵盖知识、技能、情感、价值观等多个领域。同时,活动目标也应结合教育活动的具体内容有所侧重,如有的活动以培养科学方法为主要目标,而有的活动则以培养幼儿的科学态度为主要目标。

(3)教育活动目标应该体现和上层目标之间的联系,即是上层目标(总目标、年龄阶段目标和活动目标)的具体化和分解。此外,教育活动目标也要体现与前后教育活动目标之间的联系,从而体现幼儿学习和发展的连续性。

三、幼儿园科学教育的内容

幼儿园科学教育的内容范围极其宽广，《纲要》中对学前儿童科学教育提出六条"内容和要求"：

(1) 引导幼儿对身边常见事物和现象的特点、变化规律产生兴趣和探究的欲望。

(2) 为幼儿的探究活动创造宽松的环境，让每个幼儿都有机会参与尝试，支持、鼓励他们大胆提出问题，发表不同意见，学会尊重别人的观点和经验。

(3) 提供丰富的可操作的材料，为每个幼儿都能运用多种感官、多种方式进行探索提供活动的条件。

(4) 通过引导幼儿积极参加小组讨论、探索等方式，培养幼儿合作学习的意识和能力，学习用多种方式表现、交流、分享探索的过程和结果。

(5) 从生活或媒体中幼儿熟悉的科技成果入手，引导幼儿感受科学技术对生活的影响，培养他们对科学的兴趣和对科学家的崇敬。

(6) 在幼儿生活经验的基础上，帮助幼儿了解自然、环境与人类生活的关系。从身边的小事入手，培养初步的环保意识和行为。

小区赏花

以上的教育内容基本上涵盖了幼儿园科学教育的全部内容，将其归纳一下，大致可以分为以下三个方面。

(1) 了解自然、环境与人类生活的关系。

(2) 探究身边事物的特点及其变化规律。

(3) 感受科学技术及其对人们生活的影响。

在选择科学教育内容时，为了方便操作，往往将可选用的科学教育的内容加以分类。

科学教育内容的分类

主要类型	分类项目	具体内容
了解自然、环境与人类生活的关系	常见动植物及其与环境的关系	动植物的特性，动植物的基本需要，动植物的简单行为，动植物与环境的关系。
	自然界中的非生物及其与人和动植物的关系	探索沙、石、土的物理性质，感受水的无色、无味、无嗅，探索一些和水有关的物理现象，探索水和动植物的关系。
	人体及其与自然环境的关系	人体外部的基本结构及功能、人体对环境的适应。
探究身边事物的特点及其变化规律	天气、气候和季节	四季的变化，天气现象。（冰、雪、雨、雷等）
	物理现象	探索力、光、热、声、磁、电等物理现象。
	天文现象	太空中的物体及其变化规律，如太阳、月亮、星星。

续表

主要类型	分类项目	具体内容
感受科学技术及其对人们生活的影响	生活中常见的科技产品及其作用	家用电器、各种交通工具、现代农业、各种科技玩具。
	使用简单的工具	使用小剪刀、小锤子，学习使用榨汁机、订书机等。
	简单的科技小制作	运用工具和材料制作简单的科技玩具，如做风车、不倒翁等。

四、幼儿园科学教育的方法

幼儿园科学领域的活动不仅内容丰富,方法也多种多样。自主探究式幼儿科学教育的基本方法,是指让幼儿模拟科学探究的方法学习科学,是幼儿主动建构知识的过程,而不是教师把知识简单地传授给幼儿。教师必须懂得如何让幼儿真正在科学探究过程中获取科学知识和技能,同时应清楚如何组织和指导幼儿的科学探究过程。

幼儿园科学教育活动具体的方法有:观察法、实验法、制作法、分类法、测量法、讨论法、游戏法等。

(一)观察法

观察法是一切科学活动的基础,是人们在自然条件下采用的一种基本方法。对于幼儿来说,观察法是指幼儿在教师指导下,运用眼、耳、鼻、嘴等感觉器官,通过看、听、闻、尝、触等感觉和知觉,开展科学学习的方法。

观察法可以保证幼儿在对直接接触事物的观察中,运用多种感官直观、生动、具体地认识事物,了解事物的特性,丰富幼儿的感性经验,发展幼儿的思维能力,培养幼儿运用感官探索周围世界的习惯。所以,观察法在学前儿童科学教育中是最基本和最重要的方法。

观察法的类型主要有以下几种。

1. 对个别物体的观察

对个别物体的观察是指幼儿对单个物体或现象的观察。幼儿通过有目的地运用感官与周围某一事物或现象的直接接触,来了解其外形特征、属性、习性等。如观察金鱼,幼儿可在教师的引导下,有顺序地观察金鱼的形状、颜色、大小,从而了解金鱼的外形特征、生活习性、运动方式等。如观察溶解、沉浮等现象,可让幼儿在活动中边操作、边观察,以便观察物体的变化过程,最终得出结论。如观察雨、雾等天气现象,适宜到室外进行实地观察。教师在指导幼儿观察事物时应根据观察对象的特点,有目的、有计划地教给幼儿一些最基本的观察方法,如对个别物体可采用顺序观察法,根据观察对象外部结构的特点有顺序地观察,如从上到下、从左到右、从局部到整体、从外到里有条理地细心观察,这能够使幼儿的观察全面、不遗漏,使幼儿对观察对象有较全面的认识。对个别物体的观察是最基本的观察技能,它是其他各种观察的基础,只是对不同年龄班观察的要求不同而已。

2. 比较观察

比较观察是指幼儿同时观察两种或两种以上物体并加以比较,从而找出物体间的相同点和不同点。在观察过程中,通过比较分析、判断思考,幼儿能够比较精确、完整地认识事物,较快地发现事物的特征,有利于幼儿的辨别能力的发展。如对黄瓜和丝瓜的比较观察、对自行车和摩托车的比较观察,可使幼儿发现两种物体的相同点和不同点,进而学习比较和分类的方法。这种方法主要适合于中、大班,小班后期可视幼儿发展情况适当介入,中班仅适合观察物体比较明显的相同点和不同点,大班不仅要比较物体的相同点和不同点,还要在此基础上进行分类、总结。

3. 长期系统地观察

长期系统地观察是指幼儿在较长的一段时间内,持续对某一物体或某一现象进行系统地观察,主要用于观察动物、植物的生长过程,以及气象变化等,以直观地了解自然界的发展规律。

例如,对种子发芽过程的观察,从种子浸泡开始,经过萌芽、生根、长叶等过程,教师在这几个有明显变化的阶段组织幼儿细致观察,可使幼儿对种子发芽过程有初步的了解。例如,对青蛙发育过程的观察,需要比较系统、持久地观察卵→蝌蚪→幼蛙→成蛙的整个生长发育过程。幼儿在教师的指导下,观察到每个阶段的变化,如蝌蚪尾巴的退化,蝌蚪先长后腿再长前腿等。

长期系统地观察,对幼儿的知识经验、认知水平要求较高,因此一般在中班以后才开始采用这种观察法,而且主要在大班采用这种方法。幼儿经过较长时间的系统观察,不仅从中获得了乐趣,而且获取了有关动物、植物生长发育的知识,同时也培养了幼儿认真、耐心、细致地观察的良好习惯。

(二)实验法

实验法是指在人为控制的条件下,教师或幼儿利用一些材料、仪器或设备,通过简单的演示或操作,对周围常见的科学现象加以验证的一种方法。实验法是科学探究的重要方法。

根据实验过程中实际操作的人员来分,可以把实验分为幼儿操作实验和教师演示实验两种。幼儿园科学教育活动的实验主要是幼儿操作实验,而教师演示实验在需要时适当运用。幼儿操作实验是由幼儿亲自动手操作并完成全部实验的过程。教师为幼儿设计有趣的操作简单的、结果明显的实验,幼儿对这样的操作实验感兴趣,大多能积极参与实验的全过程。幼儿在宽松自由的环境中,经过反复尝试,不断有新的发现,这使他们的好奇心得到充分的满足。例如"探讨物体吸水的实验",教师为幼儿提供海绵、纸片、棉布片、木块、塑料块等实验材料,幼儿在教师的引导下操作这些材料进行实验,探索哪些物体能吸水,哪些物体不能吸水,哪些吸水多,哪些吸水少。在实验过程中,幼儿不仅获取了知识,还学习和掌握了一些简单的实验方法。

教师演示实验是指由教师操作实验的全过程,幼儿围绕观看实验的过程及结果开展活动。在幼儿园的科学教育中,对那些有一定难度或不适合让幼儿操作或实验材料受局限的实验,需要采用这种形式。教师演示实验只能作为活动的开始或作为活动中的一个环节,绝不能允许教师的演示实验占用太多的活动时间,更不能以此代替幼儿的操作实验。

(三)制作法

制作法是指幼儿通过学习使用某些简单工具进行科技小制作,从而了解技术、体验技术,并思考、探索其中蕴含的科学原理。制作活动的开展有两方面的作用:一是通过活动让幼儿认识生活中常用工具的作用,并学习使用简单的工具;二是制作活动有利于发展幼儿的动手操作能力,它以幼儿自己独立操作为主。幼儿在与材料的接触中,不仅学会了制作方法,还增长了知识;幼儿在完成制作活动后看到自己的作品,会异常兴奋。

小班幼儿年龄小,动手能力有限,需在教师的帮助下做一些简单的制作,如折叠、粘贴、摆放;中、大班可逐渐增加难度,中班可以制作一些简单的玩具,如风车、降落伞等;大班的制作活动可以将难度提得更高,选用的材料更广泛,尤其是废旧物品,看似无用的东西,但可以制作出有趣的玩具或用品,如制作不倒翁、小火箭等。

在制作活动中教师还可以组织幼儿展示自己的作品,并进行相互交流和评价,使活动取得更好的效果。

(四)分类法

分类法是把一组物体按照特定的标准加以区分的过程中对特征进行抽象和概括。对于幼儿来说,分类法是指帮助幼儿把具有某一个或几个共同特征的物体聚集在一起的活动过程。主要内容包含:植物类,如树木、花草、蔬菜、水果、粮食作物、经济作物等;动物类,如家禽、家畜、野生动物、鸟类、鱼类、昆虫;常见物品,如交通工具、家用电器、玩具服装、食品等。

分类法的类型可以有以下几种。

1. 挑选分类

这是一种简单的分类活动,即根据某种要求,让幼儿从各类物体中选出所需的物品。一般用于小班,如在许多花中挑选出红色的花或黄色的花,在许多鞋子中挑选出雨天穿的鞋子。

2. 根据特定的标准分类

这是指幼儿根据活动的特定要求学习分类。这种形式的分类可根据一个或几个特征进行,是幼儿园中运用得较多的分类形式,一般可根据以下几个方面分类。

(1)按物体的外部特征分类。如颜色、形状、大小、长短等。

(2)按物体的用途分类。如玩具、学习用品、交通工具等。

(3)按物体的材料分类。如木制品、塑料制品、玻璃制品等。

(4)按事物之间的联系分类。如兔子和萝卜、猫和鱼、狗和骨头等。

(5)按物体的基本特征分类。如鱼类、鸟类、兽类、家禽、家畜等。

3. 根据自己确定的标准分类

这是指幼儿自己根据自然物的各种特征和自然属性进行分类,是一种运用较多的形式。

如提供给幼儿多种树叶,让幼儿自己确定按大小分、按颜色分、按形状分或按落叶树和常绿树分,但每种分法都必须把所提供的材料分完。

(五)测量法

测量法是指幼儿运用目测或简单的工具,对物体进行简单的、初级的测量活动。对于幼儿来说,测量法包括大小、长短、高矮、粗细、轻重等内容。如用绳子、尺测量树干的粗细、高矮;用天平测量物体的重量,用于比较物体的轻重等。一般包含以下内容。

1. 测量物体的个别特征

(1)用目测感知物体的大小、长短、粗细等。

(2)用手感觉不同水杯中水的温度(冷、热)。

(3)用手掂量物体的轻重,如比较哪只装沙的桶重一些。

(4)学习使用简单的非正式量具,用小棒、绳子或布条测量并比较树的高矮、粗细;用小棒测量物体的长短;用走步或长绳测量距离的远近等。

(5)学习使用正式量具,如尺、台秤、天平、温度计,用以测量物体的长短、宽窄、粗细、轻重、温度、厚薄等。

2. 测量动植物生长情况

指导幼儿在种植园地、饲养角测量动植物生长过程中各个主要阶段的特征,这种方法既能增加幼儿对种植和饲养的兴趣和情感,了解动植物的生长过程,又能发展幼儿的观察力和帮助幼儿学习测量的技能。如可用尺子量一量植物比前一周长高了多少,用秤称一称动物重了多少,并在"自然角记录本"和"动植物生长记录本"上做记录。

3. 测量天气情况

如在"小小气象角"用温度计测量每天的气温,并进行记录。

以上各种方法贯穿于幼儿一日生活与教育的始终,从集体教学活动到区角活动,从教学活动到生活活动,时时都在应用各种方法。这些方法既可以在教师的指导下使用,又可以由幼儿自主使用;既可以面向集体使用,又可以针对个别幼儿使用。总之,在实际的幼儿园科学教育活动中,方法的使用是灵活多样的,是依据活动的需要选择运用的,主要是围绕活动要解决的核心问题,有所侧重地综合使用以上各种方法中的几种。同时应考虑幼儿的年龄特点,不同的年龄班应采用不同的方法,小班、中班、大班应各有侧重。

(六)讨论法

讨论法是指幼儿在教师的指导下,围绕某一活动主题与同伴进行平等的交流,陈述自己的发现,表达自己的观点与困惑,质疑他人的发现与观点,并在思想的交流碰撞中理解他人想法,发现自己想法的不足,从而在协商中求同存异、达成共识,并引发进一步的讨论和交流。

讨论法在学前儿童科学教育活动中也是一种常用的方法,通常有两种用法:第一种用法是在活动过程中,可以将讨论作为一个环节;第二种用法是对于那些无法让幼儿直接操作的活动内容,如保护环境、认识家用电器、了解宇宙空间等活动内容,可以让幼儿通过讨论获取知识,提高表达能力,学会与他人交换观点和想法。

(七)游戏法

游戏法是指幼儿在教师创设的环境中进行的趣味性特强的活动方式,它能满足幼儿好奇、好动、好探索的天性,比如幼儿在观看大型多米诺骨牌表演的录像后,可用教师提供的长条形木块做"击木块游戏"。在玩的过程中,幼儿可探索"推一块全倒下的秘密",获得相关的科学经验,同时感受成功的快乐。该方法在学前儿童科学教育活动中广泛使用,既可以在科学教育活动过程中穿插游戏,又可以在整个活动过程都以游戏为主线,特别是小班的活动以游戏的方式较适合。

五、幼儿园科学教育活动的类型

幼儿园科学教育的途径包括在专门的集体教学活动中进行的科学教育和在融合活动中进行的科学教育。在此,着重介绍在专门的集体教学活动中进行的科学教育。依据《纲要》和《指南》的精神,在幼儿园集体教学中普遍使用的科学教育活动类型有观察认识型、实验探究型、讨论交流型和技术制作型。

科学活动指导

(一)观察认识型活动

观察认识型活动是以观察为主要认知手段,让幼儿探索客观事物、现象的特征,发展幼儿的科学认知、培养科学情感、形成科学态度、训练科学方法的一种科学启蒙教育活动。观察认识型活动是幼儿园科学教育活动的主要形式之一,通过观察,幼儿能发展多元智能和观察力。

1. 观察认识型活动的设计

观察认识型活动的设计

设计过程	注意事项	举例说明	备注
选择活动课题	①观察对象应该符合幼儿的认知发展水平; ②选择观察认识对象要体现适时性原则; ③选择观察认识型活动内容应体现综合性特征。	①小班:观察西红柿;认识五官;好玩的石头。 ②中班:各种各样的纸制品;沙子和泥土;落叶飘飘。 ③大班:蚂蚁喜欢的味道;蝌蚪变青蛙;有趣的指纹。	
制定活动目标	涉及的主要教学目标有: ①对物体和现象的观察能力; ②对观察结果的表达技能; ③对有关观察对象的科学认知。	①运用多种感官——看、摸、听、闻、尝等感知西瓜的特征。(小班"认识西瓜") ②学习用图画表现种植园地中蚕豆的生长变化。(大班"种植蚕豆") ③观察各种水生动物的特点,知道它们都是生活在水里的。(大班"各种各样的水生动物")	

续表

设计过程	注意事项	举例说明	备注
准备活动材料	①材料的准备应充分发挥幼儿、家长的积极性； ②材料的准备应符合活动内容的需要； ③选择具有典型特征的材料，以利于观察活动顺利进行； ④材料的数量应以"效果最优化"为原则； ⑤材料的空间摆放位置很重要； ⑥户外观察应特别注意材料的安全和卫生问题； ⑦重视数字化材料的准备，优化内容呈现方式。	①小班"小鸡出壳"材料：可选择已孵化多日即将出壳的种蛋（种蛋需孵化21天，可选择已孵化20天，小鸡即将出壳的种蛋）。 ②中班"认识自行车和摩托车"：无法选用实物，可采用图片或视频作为观察材料。 ③大班"种子的秘密"：选择粒大饱满的种子，如大豆、蚕豆等，准备种子发芽的容器，放置于自然界，让幼儿观察种子发芽的过程。	
设计活动过程	①设计优秀情景或问题情景，激发幼儿观察的兴趣和热情； ②多感官通道参与观察； ③发挥语言交流的作用； ④重视卡片、图标、符号记录的价值； ⑤恰当安排不同的学习组织方式和教学指导方式； ⑥充分发挥多媒体的作用。	认识西红柿（小班） ①运用多种感官感知西红柿的外部特征； ②认识西红柿的内部特征； ③品尝西红柿，感知西红柿的味道； ④讨论交流； ⑤延伸活动。	

2. 观察认识型活动的组织与指导

在幼儿科学教育中，教师应以"平等中的首席"的角色，"引发、支持和引导幼儿主动探究，经历探究和发现的过程，获得有关周围物质世界及其关系的经验"。

(1)组织活动。

教师在组织观察认识型科学教育活动时，可采取以下几个相应的策略。

①利用观察对象的显著特征激发幼儿的观察兴趣。幼儿对于新奇的事物容易产生观察和探究的欲望，因此，教师可以利用这一特点，吸引幼儿对观察对象的注意，激发幼儿认真观察。

②通过启发性问题引导幼儿观察。教师要控制幼儿观察的方向，掌握观察的深度，不可让幼儿毫无目的地观察。特别是对于观察不认真、不深入的幼儿，教师要设计一系列的问题引导幼儿全面、系统、有序地观察。教师在指导时，要注意引导幼儿既观察事物的整体，又观察其主要的细节，要处理好观察整体与局部的关系，以确保观察的全面性。但同时也要给幼儿留下自

由观察的空间,以免造成幼儿被动学习的局面。

③引导幼儿运用多种感官感知事物的特征。观察不仅是用眼睛看,它还包括其他感官的运用。在科学观察中,教师应尽量启发幼儿运用多种感官观察,让幼儿在看看、听听、闻闻、尝尝、摸摸的过程中,获得全面的观察信息。

④通过对观察对象的操作、摆弄促进观察。将观察和操作相结合,以全面地观察事物,并了解观察对象的变化。要尽可能地让幼儿有自己动手和操作的机会。教师要耐心等待,满足幼儿与材料充分互动的需要。

⑤教师可以利用魔术、多媒体等调动幼儿观察的积极性。例如,在科学活动"神秘箱"中教师自制的神秘箱——仅能容一只小手伸入的触觉口,两边挖数个小洞为嗅觉口,左、右有一个视觉听觉口的纸箱,并在神秘箱内放入幼儿生活中常见的、颜色鲜明、气味较强、触感较明显的物品,如苹果、铃鼓、毛巾、玩具车、刷子等,引导幼儿尝试运用不同的感官去探索、发现、猜测神秘箱内的物品,并讨论使用不同感官猜测物品的感受。这样,幼儿运用各种感官接触材料而产生了共鸣,体验到了成功的乐趣。用动画的形式呈现"食物的旅行"过程既形象又直观,幼儿特别喜欢。

(2)指导活动。

教师在组织指导幼儿的观察认识型活动时,应注意以下几个方面。

①要鼓励幼儿用语言表达观察中的发现。语言可以帮助幼儿整理自己的观察结果,并使之系统化,还可以促进幼儿之间的交流。教师既要鼓励幼儿用自己的语言来表达,对于不能完整、连贯表达的幼儿,教师要通过引导、示范的方式帮助幼儿,又要注意纠正其语言表达与观察不符的地方。

②指导幼儿学习用各种方法记录观察结果。观察记录就是由幼儿以形象化的绘画、图表,表达对自然物、科学现象的观察结果。它是幼儿观察活动的一个方面,也是一种表达的方式。通过对观察结果的记录、描述和交流,可促使幼儿反省和评价自己得到的信息。幼儿的观察记录能反映出他们的观察水平以及对观察对象认识的正确与错误,因此也是重要的评价资料。对于不能完成记录的幼儿,教师应先教幼儿读懂记录符号,学会记录的方法等。

③认真倾听幼儿的"发现",巧妙适度地回应。对于幼儿的"发现"教师要以认真倾听、积极评价为主,要善于使用能激发思维的应答策略。例如在大班科学活动"我从哪里来"中,教师准备了丰富的胎儿成长图片引导幼儿自由观察,了解胎儿在妈妈肚子里的状态。幼儿有很多新发现:"宝宝在妈妈肚子里光着身子,没穿衣服""宝宝在妈妈肚子里头朝下""我看到一个小圆球""我看到一个小月牙"等。面对幼儿的诸多发现,教师要正确判断哪些问题应即时回应,哪些问题能激发幼儿继续探究的兴趣,哪些问题能转移幼儿的视线使其转而研究更有价值的问题,从而对幼儿的表现给予积极的应答。案例中的"小圆球"和"小月牙"恰恰是活动中观察与讨论的重点之一,教师可"顺应—生成"新的问题,激发幼儿进一步探究的欲望。让幼儿在争论中引起对身体奥秘的关注,形成积极的师幼互动。

④观察认识型活动对活动空间的采光有较高的要求。应尽量保证明亮、安静的观察环

境。充足的采光和照明,方便幼儿仔细观察;安静不喧嚣的环境,保证幼儿能仔细地倾听、观察物体发出的声音等。

(二)实验探究型活动

实验探究型活动是指幼儿在教师指导下通过自己动手操作材料和仪器,从而发现客观事物的变化及其关系的科学活动。该活动形式能最大限度地调动幼儿科学学习的主动性和积极性,满足幼儿的探究欲望,能够让幼儿在探究过程中发现问题、提出问题、解决问题,在亲历探究科学的过程中,理解科学现象,获得各方面能力的综合提升。

1. 实验探究型活动的设计

实验探究型活动的设计

设计过程	注意事项	举例说明	备注
选择活动课题	①充分考虑幼儿的理解和接受能力; ②考虑实验材料的易获得程度。	①小班:方糖不见了;好玩的磁铁。 ②中班:沉与浮;捕光捉影;一二三,站起来。 ③大班:怎样装进瓶子里;有趣的经典现象;湿纸怎样变干。	
制定活动目标	涉及的重要教学目标: ①激发科学好奇心; ②提高科学探究能力。	①发现物体在水里会出现沉浮现象,愿意用不同的物体来做试验。(中班"沉与浮") ②能根据自己的经验预测不同物体在水中的沉浮变化,并通过实验加以检验。(中班"沉与浮")	
准备活动材料	①选择实验材料要典型; ②注意材料的结构性; ③材料的摆放位置要恰当; ④材料的安全、卫生问题。		
设计活动过程	①演示——操作式; ②自由——引导式; ③猜想——验证式。	有趣的静电现象(大班) ①以魔术的形式导入活动,引起幼儿观察和探索的兴趣; ②通过对魔术的揭秘,感知摩擦生电现象; ③创设四种情景,让幼儿在合作与独立操作中体验物体间静电现象的产生过程,了解静电与生活密切相关; ④在更多的操作、交流中进一步感受、认识静电现象; ⑤结束部分:师生在自由操作实物、体验更多静电现象中自然结束。	

2. 实验探究型活动的组织与指导

实验探究型活动是幼儿园集体科学教育活动的重要形式,是幼儿在教师的精心组织和悉心指导下,通过自主探究获取科学经验的过程。因此,教师在组织指导中可采取以下几个策略。

(1)组织指导中的策略。

①提供充足、多样的实验材料。这样可以保证幼儿能反复操作、与客体相互作用,在实验

过程中去探索、发现、判断，自己找出问题的答案。幼儿的发现来自他们自己的摆弄和操作，因此，提供实验材料非常重要。只有多样性的材料才能使幼儿获得丰富的科学经验。

②巧妙利用幼儿实验结果的分歧与争执。在"蜡烛为什么熄灭"的活动中，两个幼儿虽都能正确地进行实验，但对蜡烛熄灭的原因的理解不同，两人还争执起来，一个幼儿认为是因为杯子里的空气没有了，另一个幼儿却坚持认为是杯底压灭了蜡烛的火。此时教师不必要介入，可持续关注，防止争执升级。最后，两人通过选用较短小的蜡烛再次实验，经过验证找到了蜡烛熄灭的真正原因。幼儿间的这种互动交流具有积极性，有益于幼儿的自我发展。如果教师过早介入，幼儿就会丧失在矛盾中解决问题的机会。所以，在幼儿的自主探究中，教师有时保持沉默是有必要的。

③合理采用图示指导的策略。如将比较烦琐的操作步骤，用图示的方式呈现出来，将抽象概括的要求转化为直观形象的画面，使幼儿一看就知道怎样操作。因此，这也是实验探究型活动中有效的指导策略之一。

④巧妙利用合作小组的优势。分组实验是科学活动中经常会采用的方式，但科学探究合作小组的分配并不是随机的，教师要在充分了解每一位幼儿的基础上，按照"组内异质，组间同质"的原则，对每个小组幼儿的学习能力、组织能力、性别、个性、兴趣、特长等方面予以合理的搭配，从而保证合作小组内各成员之间的差异性、互补性以及小组与小组之间的平衡性。

⑤保证幼儿有充足的探究时间。幼儿的探究活动是一个从失败到成功的过程，所以，教师不要怕幼儿犯错误，不要怕幼儿走弯路，不能因为幼儿暂时没有成功，而直接告诉结果或立刻示范给幼儿看，而应该引导幼儿思考，鼓励他们寻找原因，分析问题，促使他们从失败中总结经验，从成功中体验快乐，这样，幼儿才会不断动手、动脑，养成良好的学习习惯。

(2)教师在组织和指导实验探究型活动中的注意事项。

①发挥幼儿交流与讨论的作用，交流讨论主要有两种形式。

一是，"同组异质"的形式，即在合作小组内部，每个成员由于承担的任务不同，通过交流与讨论，可分享各自获取的经验和想法，并在此基础上，相互帮助协调，共同完成任务。此时，教师的主要任务是观察与倾听幼儿在组内的讨论与交流，并引导幼儿学会倾听、接纳他人的观点和意见。

二是，"异组同质"的形式，即在整个班级中，多个承担着相同任务的不同小组成员，虽然他们的任务是相同的，但在科学探究时他们体验到的经验和探究的结果却是不同的，教师可引导他们对共同内容互相交流和讨论，达到经验与信息的分享。这种形式的交流能够生动地再现每个幼儿的探索过程，使幼儿从同伴的活动中受到启发，学到有益的经验和方法，从而促进幼儿之间相互学习，更好地合作探究。

②对待幼儿在活动中的表现，教师应持"宽容"的态度。容"错"、容"慢"、容"多"、容"奇"，而不是急于让幼儿获得某一个具体的科学概念。

③善用"曲问"。曲问，即"问在此而意在彼"。这样的提问形式一般是在教师不便于向幼儿直接提问或因为问题较难，或为了使幼儿排除其他情况的干扰而采用的。曲问往往由一组小问题组成，每一个小问题应该是简明的，具有明确的指向性，是幼儿可以理解的，这样才能使幼儿最终寻找到问题的答案。例如，在"蜡烛灭了"的实验中，由于空气的变化是幼儿不能直观感受到的，此时，教师可以通过曲问的办法使幼儿理解其中的原因。教师可以这样提问："蜡

烛在什么情况下灭了?""是谁把它吹灭了?""是蜡烛自己烧完了?""人没有氧气会怎么样?"通过这一系列小问题,幼儿就能逐步体会到蜡烛熄灭的原因。

④记录要简便易行。记录要能支持和促进幼儿的科学探究活动,且简便易行。在科学探究活动中,如果教师不能把握好记录的时机、内容和方式,记录就会成为幼儿的负担和不愿意做的事情。例如,在中班科学活动"有趣的颜色"中,教师从红、黄、蓝三种颜色中选择两种进行混合实验演示,然后让幼儿猜测其他两种颜色混合后的颜色,并用彩色水笔涂色记录,再让幼儿操作,并随时记录操作过程和结果。幼儿看到颜色就迫不及待地动手操作,忘记了教师交代的记录任务。教师在一旁大声提醒,并不断要求他们停下来做记录,影响了幼儿探究的积极性和持续性。此外,让幼儿用教师事先剪好的彩色圆点记录比用彩色水笔涂色记录要简便易行得多。

(三)讨论交流型活动

讨论交流型活动采用的是集体讨论的形式。在讨论的过程中,幼儿之间、幼儿与教师之间通过信息交流,有效地促进了幼儿思维的发展。一般讨论交流型活动都要求在活动前收集资料,这对于培养幼儿的信息意识和收集信息的能力有着重要的作用。

航天日

1. 讨论交流型活动的设计

讨论交流型活动的设计

设计过程	注意事项	举例说明	备注
选择活动课题	①从传统的活动中选择课题; ②在幼儿身边寻找课题; ③从大众传媒中寻找课题。	①中班:冬天的取暖器;废旧电池的处理;怎样减少噪声。 ②大班:保护水资源;认识高速公路;和机器人交朋友;牛奶营养好。	
制定活动目标	涉及的主要教学目标有: ①表达交流技能; ②获取科学经验。	①学习用调查、记录等方法了解不同人群喝牛奶的情况。(大班"牛奶营养好") ②根据所获得的信息了解高速公路上的设施及其功能。(大班"认识高速公路")	
准备活动材料	①制作图片; ②摄制实景。	①在"有用的尾巴"活动中,提供有代表性的尾巴的图片。 ②在"小猪盖房子"活动中,提供有故事情节的视频。	
设计活动过程	①参观调查——汇报交流式; ②收集资料——共同分享式; ③认识探究——交流研讨式。	动物怎样过冬(中班) ①室外活动,导入主题; ②观看录像,了解动物过冬的方式; ③再次观看录像,初步了解动物与环境的关系; ④教师组织幼儿游戏,巩固对动物过冬方式的认识; ⑤引导幼儿通过绘画表现动物过冬的方式。	

2. 讨论交流型活动的组织与指导

在开展讨论交流型活动时,教师的组织指导很重要。讨论交流型活动主要是通过语言达到讨论交流目的的。因此,幼儿对活动的兴趣显得特别重要,教师对活动的组织指导则是关键。

讨论交流型活动的组织指导策略如下。

①讨论交流型活动仍然是以幼儿为主体的活动。教师在活动中主要是组织幼儿开展讨论,指导幼儿进行交流,适当进行科学知识的渗透,应避免教师占用较多时间给幼儿传授知识。

②活动过程应宽松和谐。教师应为幼儿创设宽松、自由的环境,建立民主、平等的氛围,让幼儿大胆讲述自己的想法,自由地进行交流。在活动过程中教师应引导幼儿倾听同伴的意见,培养幼儿尊重他人、善于倾听的习惯,使讨论交流成为真正有效的活动。

③教师应帮助幼儿学习讨论交流活动中的技能。在讨论交流型活动中,教师应利用多种形式表现活动的内容,特别是用艺术的手段表达对科学的认知,使讨论交流的形式丰富多彩,而不至于成为知识的堆积。如可以进行艺术表演、图画展览、游戏等。

④讨论交流型活动应充分利用多媒体教学手段。可以利用视听媒体进一步丰富幼儿的知识经验,扩大幼儿的眼界。如课件的制作或视频的采集等。

在组织指导讨论交流型活动时还应注意以下几点。

①教师应注意讨论交流活动中语言的组织和运用。一是要注意活动中使用的指导语言和引导语言要恰当;二是要注意活动中使用的语言应避免涉及难度较大的科学知识。

②讨论和交流也往往是其他集体科学活动中常用的方式,因此,讨论交流型活动也应采用其他活动中的方法,从而避免这类活动单调乏味,使幼儿缺乏兴趣。

(四)技术制作型活动

技术制作型活动是指幼儿学习制作产品、使用科技产品或掌握某些工具的操作方法、技能的科学活动。它是幼儿了解技术、体验技术的重要手段。

随着时代的发展,科学和技术的联系变得越来越紧密。对幼儿的技术教育应该包含两个方面:一是认识技术和技术产品,即向幼儿简单介绍生活中常用或常见的技术,使其了解技术的转化和中介作用;二是亲身体验和经历的技术活动,可以让幼儿掌握一些简单的技术,包括使用工具的技术、科技小制作的技术等。

1. 技术制作型活动的设计

技术制作型活动的设计

设计过程	注意事项	举例说明	备注
选择活动课题	①设计技术; ②使用技术。	有趣的不倒翁、井和辘轳、设计新大门;厨房小用具、小小木工厂。	
制定活动目标	①设计制作能力; ②使用工具的技能; ③展示分享能力。	①根据生活经验,通过观察,设计壶嘴的位置和长度。(大班"壶嘴上的科学") ②大胆尝试使用多功能刨子、榨汁机、削皮器,探索它们的结构、功能和正确使用方法。(中班"厨房小用具") ③在教师的组织下,全班幼儿共同布置玩具展览。(大班"用废旧物品制作玩具")	

续表

设计过程	注意事项	举例说明	备注
准备活动材料	①制作的原材料应尽量是半成品； ②制作的材料应具有选择性。	①制作小火箭。可以用充气的气球代替火箭，体验火箭升空的模拟情景；也可以用空的塑料奶瓶制作成火箭； ②制作小水车。可截取胡萝卜、黄瓜、莴苣等各一段，上面插上塑料片，中间穿过筷子，小水车就制成了。	
设计活动过程	①学习使用科技产品和工具的活动； ②科技小制作活动。	自由自在的电线（中班） ①开始：猜一猜，激发活动兴趣； ②示范：看一看，引导观察想象； ③探索：玩一玩，幼儿进行创造性表现； ④创作：做一做，深入启发思考探索； ⑤总结：评一评，保持探索兴趣。	

2. 技术制作型活动的组织与指导

技术制作型活动以动手操作为主要活动形式，这也是幼儿比较感兴趣的活动形式，因此，教师应参与幼儿的活动，给予必要的指导和帮助，具体策略如下。

①组织活动时应使幼儿明确活动的目标、方法和评价标准。

在技术制作型活动中，教师可以通过出示、演示已制作好的成品，让幼儿明确制作的目标和评价标准，知道自己要做什么；教师也可以向幼儿讲解或演示制作的步骤和方法，让幼儿知道怎样做。不过，应注意不能以教师的演示代替幼儿自己的操作，活动过程应该以幼儿自己的操作为主。

②教师应帮助幼儿选择趣味性强且有教育价值的主题。

技术制作型活动的目的不是仅仅为了制作一件成功的作品，而是为了让幼儿实现自己的愿望，即做出自己喜欢的作品，然后痛痛快快、高高兴兴地玩，体验成功的快乐，这样的活动才真正地有价值。

③教师应引导、帮助幼儿顺利完成作品。

教师应关注幼儿在活动中的表现，引导幼儿按操作步骤完成作品。当幼儿在操作中遇到困难或问题时，应及时给予恰当的帮助，促使幼儿自己主动想办法解决问题并完成作品，特别是对动手能力较弱的幼儿应给予更多的帮助。

④要让幼儿自己探索制作的方法和技巧。

在科技制作活动中，也要给幼儿主动探索的空间，即要让幼儿自己去尝试，通过个人的经验（即使是失败的经验）来学习，而不是向幼儿灌输技能技巧，否则，幼儿的学习也就变成了机械的训练。

⑤在分享、交流中体验快乐，完善作品。

在活动结束的阶段让幼儿相互交流，可以使幼儿根据自己的想法和做法强化自己所获得的新经验。分享、交流是技术制作型活动不可缺少的重要环节，同时，幼儿可以在玩作品时与同伴交流，思考自己作品的不足之处，在教师引导式的评价中，完善自己的作品。

教师在组织指导这类活动时还要注意以下几点。

①可将技术制作型活动与区域活动结合起来开展。如集体活动时间不够,可延伸到区域活动。

②技术制作型活动最好结合展示活动开展,使幼儿的每项制作活动都有始有终,并能在与同伴的交流中提高制作技能。

③还可以请家长参与技术制作型活动,特别是年龄较小的幼儿请家长带着一起制作效果会更好。

任务二　幼儿园数学认知活动设计与实施

数学是幼儿园教育的重要组成部分,也是幼儿期重要的学习内容。数学以其自身知识的逻辑性和抽象性等特点成为促进幼儿发展尤其是逻辑思维发展的有效工具。

一、幼儿园数学学习的特点

幼儿思维的发展是幼儿学习数学的基础。但是,幼儿逻辑思维发展的特点又造成了幼儿在建构抽象数学知识时的困难。幼儿学习数学主要通过四个阶段:实物操作—语言表达—图像把握—符号把握,从而建立数学的知识结构。具体地说,幼儿学习数学的特点可以概括为以下几点。

(一)依赖于动作

皮亚杰强调动作在幼儿数学学习能力发展中的重要作用,他认为,幼儿对数学的运用是认知运算内化的前提条件,幼儿的数学学习离不开对物体的操作,是一种主动的、自律的活动。要使幼儿获得数概念,需要大量的经验积累,需要在生活中有着与思维和动作相关的多方面操作与体验活动。

幼儿在学习数学时,最初是通过动作进行的。特别是小班的幼儿,在完成某些任务时,经常伴随着外显的动作。如幼儿最初学习数数,要借助于手的点数动作才能正确地计数,幼儿表现出的这些外部动作,实际上是其协调事物之间关系的过程,对于幼儿理解数学关系是不可或缺的。

(二)幼儿数学知识的内化要借助于表象的作用

按照皮亚杰的观点,在幼儿园阶段,幼儿的思维处在前运算阶段,这一阶段的思维特点是具体形象。幼儿要把数学知识变成头脑中抽象的数学概念,有赖于内化的过程,即在头脑中重建事物之间的逻辑关系。在幼儿操作的基础上,引导幼儿观察实物或图片及其变化,并鼓励他们将其转化为头脑中的具体表象,就可以帮助幼儿在头脑中建立事物之间的逻辑关系。

例如在学习加减运算时,在幼儿一定的操作基础上,可以通过让幼儿观察一幅图中物体之间的关系来理解加减,或者通过三幅图之间的细微变化来表现加减的关系,也可以通过口述应用题让幼儿自己在头脑中形成相应的表象并进行运算,这些都有助于幼儿在抽象的水平上进行加减的运算。

(三)幼儿对数学知识的理解要建立在多样化的经验和体验基础上

幼儿在概念形成的过程中所依赖的具体经验越丰富,他们对数学概念的理解就越具有概括性。比如在认识数字3时,让幼儿说出各种各样可以用3来表示的物体,而且知道所有数量是3的物体,无论它们怎样排列都是3。这样,幼儿就可以对数字3的抽象意义有所了解。

相反,如果幼儿缺乏多样化的经验,他们就无法正确地理解数学概念。例如,认识三角形时,有的幼儿认为钝角三角形不是三角形,是因为从未接触过这样的形状;有的幼儿会用两个三角形拼出一个大三角形,却不会将一个正方形分成两个小三角形,究其原因也是日常生活中缺少摆弄图形的经验,对图形之间的关系缺乏经验。

(四)幼儿抽象数学知识的获得需要符号和语言的关键作用

幼儿学习数学,最终要从具体的事物中脱离出来,形成抽象的数学知识。但是,幼儿头脑中往往只是留存着一些具体的经验,要使之变成概念化的知识,则需要符号体系的参与。

例如,幼儿积累了大量有关加减的具体经验,甚至也能够用自己的语言讲述这些经验,但是要形成加减的概念,就需要教他们用抽象的符号来表示具体的事情。符号的作用就在于给幼儿一种抽象化的思维方式。幼儿接触的符号不仅限于加减运算的符号,如"标记"就是一个具有抽象意义的符号,它既带有形象性,又不是一个具体的形象,而是对它所代表的所有具体形象的抽象。

此外,语言在幼儿学习数学的过程中也很重要。幼儿在进行数学操作活动中同时用语言表达其操作过程,能够对他的动作实行有效的监控,并提高其对自己动作的意识程度,从而有助于动作内化的过程。

(五)幼儿数学知识的巩固有赖于练习和应用的活动

幼儿数学知识的掌握是一个持续不断的过程,是幼儿不断尝试新策略的过程,练习和检验新获得的策略的过程,以及在应用中巩固新策略的过程。它完全是通过幼儿的自我调节作用而发生的,而不是教的结果。以数数的策略为例,教师即使告诉幼儿要通过一一对应比较多少才是一个正确的方法,如果幼儿未感知原来的方法不好,是不会接受教师教的方法的。对于幼儿来说,最重要的是要有大量的机会练习和应用。

(六)在情境化的背景下学习

情境学习理论认为"知识与活动是不可分离的,活动不是学习与认知的辅助手段,是学习整体中的一个有机组成部分"。学习者通过在一定情境中的亲身感受,充分地运用自身的多种感知通道去接触情境中的事物、材料,进而在感受、刺激的过程中产生丰富、真实的体验。如在小班的"1与许多"的活动中,教师扮演鸭妈妈,幼儿扮演鸭宝宝,鸭妈妈带着鸭宝宝去游泳,在这样的情境中幼儿体验"1"与"许多"之间的关系。

二、幼儿园数学教育的目标

幼儿园数学教育目标是一个有机的整体,它是以有序的结构组织起来的系统。从纵向的角度来看,它一般可以分为总目标、年龄阶段目标、活动目标三个层级;从横向的角度来看,它一般可以分为认知能力目标、情感与态度目标、操作技能目标三类。

(一)幼儿园数学教育的总目标

根据《纲要》科学领域的教育目标,在幼儿园数学教育中应以激发幼儿的好奇心和探究欲望、发展认知能力为宗旨,幼儿园数学教育的总目标应包含以下内容。

(1)对周围环境中事物的数量、形状、时间和空间等感兴趣,有好奇心和求知欲,喜欢参加数学活动和游戏。

(2)能从生活和游戏中感受事物的数量关系,获得有关数、量、形、时间和空间等感性经验,体验到数学的重要和有趣。

(3)学习用简单的数学方法,解决生活和游戏中某些简单的问题,能用适当的方式表达、交流操作和探索问题的过程和结果。

(4)会正确使用数学活动材料,能按规则进行活动,有良好的学习习惯。

(二)幼儿园数学教育的年龄阶段目标

《指南》中关于数学认知的年龄阶段目标如下。

目标1　初步感知生活中数学的有用和有趣

3~4岁	4~5岁	5~6岁
1.感知和发现周围物体的形状是多种多样的,对不同的形状感兴趣。 2.体验和发现生活中很多地方都用到数。	1.在指导下,感知和体会有些事物可以用形状来描述。 2.在指导下,感知和体会有些事物可以用数来描述,对环境中各种数字的含义有进一步探究的兴趣。	1.能发现事物简单的排列规律,并尝试创造新的排列规律。 2.能发现生活中许多问题都可以用数学的方法来解决,体验解决问题的乐趣。

目标2　感知和理解数、量及数量关系

3~4岁	4~5岁	5~6岁
1.能感知和区分物体的大小、多少、高矮、长短等量方面的特点,并能用相应的词表示。 2.能通过一一对应的方法比较两组物体的多少。 3.能手口一致地点数5以内的物体,并能说出总数。能按数取物。 4.能用数词描述事物或动作。如我有4本图书。	1.能感知和区分物体的粗细、厚薄、轻重等量方面的特点,并能用相应的词语描述。 2.能通过数数比较两组物体的多少。 3.能通过实际操作理解数与数之间的关系,如5比4多1;2和3合在一起是5。 4.会用数词描述事物的排列顺序和位置。	1.初步理解量的相对性。 2.能用简单的记录表、统计图等表示简单的数量关系。 3.借助实际情境和操作(如合并或拿取)理解"加"和"减"的实际意义。 4.能通过实物操作或其他方法进行10以内的加减运算。

目标3　感知形状与空间关系

3~4岁	4~5岁	5~6岁
1. 能注意物体较明显的形状特征,并能用自己的语言描述。 2. 能感知物体基本的空间位置与方位,理解上下、前后、里外等方位词。	1. 能感知物体的形体结构特征,画出或拼搭出该物体的造型。 2. 能感知和发现常见几何图形的基本特征,并能进行分类。 3. 能使用上下、前后、里外、中间、旁边等方位词描述物体的位置和运动方向。	1. 能用常见的几何形体有创意地拼搭和画出物体的造型。 2. 能按语言指示或根据简单示意图正确取放物品。 3. 能辨别自己的左右。

（三）幼儿园数学教育的活动目标

幼儿园数学教育的活动目标应具体、可操作,并尽量用行动化的语言加以描述。幼儿园数学教育的活动目标应与活动的知识内容紧密联系,让幼儿在活动中通过自己的探索和发现,获得有关的数学经验。幼儿园数学教育活动目标要与数学教育总目标、年龄阶段目标一致,相互衔接,从而实现幼儿园数学教育总目标。

三、幼儿园数学教育的内容

幼儿园数学教育的内容是实现幼儿园数学教育目标的重要媒介和保证,是将目标转化为幼儿发展内容的重要中间环节,也是数学教育活动设计和实施的主要依据。为幼儿选择的内容是否合适,内容的组织是否合理,将直接影响幼儿的发展和目标能否实现。因此,在选择时应考虑数学学科的性质及其内容特点,注意幼儿的认知发展特点,体现数学教育活动内容的启蒙性和可接受性,体现各年龄阶段幼儿数学教育活动的层次性和渐进性。在组织数学教育活动的内容时,应体现数学知识本身的逻辑性和系统性。

幼儿学习的数学内容虽涉及数、量、形、空间等多个方面,但这些内容应是初步的,目的是要通过数学教育锻炼和发展幼儿的思维能力,并为幼儿认识世界、解决生活和游戏中的问题提供必要的工具。幼儿园数学教育活动的具体内容如下。

（一）感知集合与分类

幼儿感知集合教育是指在不教给幼儿集合术语的前提下,让幼儿感知集合及其元素,学会用对应的方法比较集合中元素的数量,并将有关集合、子集及其关系的一些思想渗透整个幼儿园数学教育的内容和方法中。具体涉及的内容主要包括以下四个部分。

1. 感知集合及其元素,进行物体的分类

所谓集合是指具有某种共同属性的一类确定的对象所组成的整体。集合的"共同属性"可以是物体的名称,也可以是物体的某一特性,如颜色、形状、大小、功能、用途等,它既是一个集合的标志,又是组成一个集合的依据。在一个集合中,那些被确定的具有共同属性的一个个对象,通常称为这个集合的元素。如小一班的集合中每个小一班的幼儿都是这个集合的元素。

分类是把具有共同特征的物体进行分组的过程。幼儿主要学习按物体的1个(或2个)外部特征对物体进行分类；按物体的特征进行多角度及多层次的分类。

2. 认识"1"和"许多"及其关系

"1"是自然数中最小的数，是自然数的基本单位。"许多"是一个笼统的词汇，它表示集合中有两个及两个以上元素。在进行"1"和"许多"的教学时，主要是引导幼儿感知集合元素的分化过程，为学习计数和认识10以内的数奠定基础。

3. 两个集合元素的一一对应比较

一一对应是指在两个集合中，一个集合的任何一个元素按照确定的对应关系在另一个集合里都有1个或几个元素和它对应。对应是比较两组物体的数量是否相等的最简便、最直接的方式。幼儿在活动中感知、理解对应的具体意义，在多种形式的操作活动中尝试——对应方法的运用，并借助于这种逻辑方法比较两组物体的数量是否相等，能为将来理解和认识数概念打下坚实的基础。

4. 初步感知集合间的关系和运算

感知集合间的包含或相等以及两个集合间的交集、差集、并集等概念，对幼儿理解集合概念和学习数的组成有积极意义。幼儿主要是通过直接感知为主学习集合间关系的，可以结合分类等活动进行。

(二)10以内的数概念与运算

1.10以内的数概念

有关数概念的早期教育是幼儿园数学教育的一个重要方面。一般认为，数概念的教学内容主要涉及以下四个方面：10以内的数(基数、序数、数的实际意义，数的比较与守恒、相邻数、单双数等)、计数(目测数、按物点数、按数取物、按数群计数等)，10以内的数字(认读与书写)和10以内数的组成(包括组合与分解)。

2.10以内数的运算

数的运算是指由集合的两个元素结合成这个集合的一个新元素的法则。对于幼儿来说主要是10以内数的加减运算。其中幼儿的加法主要涉及的是两个数合并成一个数的运算，幼儿的减法涉及的是已知两个数的和与其中一个加数，求另一个加数的运算，是加法的逆运算。

10以内数的运算是指幼儿通过感知、认识和理解加号、减号、等号的意义，学习10以内的口头加减运算，应用加减法解决实际生活中的简单问题。10以内数的运算是中班、大班年龄阶段幼儿的教学内容之一，具体可以分为实物加减、口述应用题和列式运算三部分。

数概念与运算和人们的生活密切相关。让幼儿用简单的数学方法解决生活中的一些简单问题，亲历解决问题的探究过程，获得真实的认知和体验，有助于激发幼儿对数学的兴趣和探究数学的欲望；有助于幼儿感知、理解周围事物中存在的数量关系；有助于幼儿对加减互逆关系和加法交换关系的感知；有助于幼儿学习、理解和运用数学。

（三）量和计量

幼儿能区别和说出物体量的差异,如大小、长短、高矮、粗细、宽窄、厚薄、轻重等;在比较物体量的差异时,教师可帮助幼儿初步理解量的相对性。幼儿学习量的守恒,学习自然测量。

（四）空间与时间

1. 空间

(1)几何形体。几何形体是人们用来确定物体形状的标准形式,物体的形状在几何图形中都能得到概括和反映。幼儿在日常生活中接触、感知了许多物体的形状,积累和丰富了感性经验和认知,这不仅有助于幼儿辨认常见的几何图形、理解空间概念,还有助于幼儿发展观察力、想象力和创造力。

杨斯琪
《图形变变变》

幼儿认识的几何图形包括平面图形和立体图形两部分。平面图形包括圆形、正方形、三角形、长方形、椭圆形、梯形;立体图形包括球体、圆柱体、长方体和正方体。小班和中班的幼儿主要认识平面图形,通过操作和感知,让幼儿能区分和识别六种平面图形,了解其基本特征,并能进行比较和组合、拼搭活动。大班的幼儿主要认识立体图形,让幼儿知道形体的名称与基本特征,与平面图形的关系与区别,并运用在日常生活中。

(2)空间量。任何物体都具有一定的量,量是事物所具有的能区别事物之间差异的性质。事物的多少、大小、长短、高矮、粗细、宽窄、厚薄、轻重等特征差异,可以通过事物的量表现出来。物体的量是幼儿经常接触的,因而幼儿需要学习。幼儿在认识、区别、比较物体量的差异的同时,也感知、体验到量的相对性,这不仅有助于幼儿理解序的概念,还有助于幼儿解决生活中的实际问题。在幼儿园主要是让幼儿初步对空间量进行比较和判定,包括量的比较、量的排序、量的守恒和自然测量四个方面。

(3)空间方位。空间是物体存在的一种客观形式。任何物体都存在于一定的空间之中,并且和周围的其他物体存在着空间上的相互方位关系,一般用上下、前后、左右等表示。理解和掌握这些空间关系是进行空间直觉思维的基础,也是学习几何知识的基础。在幼儿园主要是让幼儿在日常生活和游戏中感知、理解和运用简单的方位词,理解方位概念的相对性、变化性,辨别以自身和客体为中心的上下、前后、左右。

2. 时间

时间是物质运动变化过程的持续性和顺序性。时间缺乏直观形象性,是抽象的,但幼儿对时间很早就产生了兴趣。生活经验是幼儿感知和理解时间概念的基础。教幼儿初步认识时间,有利于幼儿感知时间的存在,发展时间知觉,而且帮助幼儿树立时间概念,养成良好的生活习惯,还有助于幼儿理解时间概念和时间关系。幼儿应学会区分早晨、晚上、白天、黑夜、昨天、今天、明天,知道一星期 7 天的名称及其顺序,认识时钟,会看整点和半点。

四、幼儿园数学教育的方法

幼儿园数学教育方法是实现幼儿园数学教育目标的重要手段。幼儿园数学教育方法包括教的方法和学的方法，既要考虑教师怎样教，又要考虑幼儿怎样学。幼儿园数学教育的方法具有很大的灵活性和创造性。它受具体内容、教育对象的年龄和水平的制约。同样一种方法，对不同的教学内容和不同的年龄班，在运用上也应有所区别。幼儿园数学教育的方法主要有操作法、比较法、发现法、寻找法、游戏法、讲解演示法。

（一）操作法

操作法是幼儿通过亲自运用直观教具和活动材料，在摆弄物体的过程中进行探索，从而获得数学感性经验和逻辑知识的一种方法。如运用各种材料进行计数；亲手拨动玩具钟的长、短针，以获得关于整点、半点的概念等。操作法的重要性在于它是幼儿在头脑中构建初步数学概念的开端，是幼儿获得抽象数学概念的必经之路。它是幼儿学习数学的一种十分重要的基本方法，成人应将操作法运用到幼儿园数学教育的一切活动中去。

严春琳
《果园大丰收》

运用操作法时，一方面，要明确操作目的，为幼儿操作活动创设必要的物质条件，提供的材料数量要足够并具有层次性，给幼儿充分的操作时间；另一方面，要仔细观察幼儿的操作情况，及时发现问题，引导幼儿积极思考、探索，并组织幼儿一起讨论他们的操作结果，帮助幼儿整理、归纳在操作中获得的感性经验。

（二）比较法

比较法是通过对两个(组)或两个(组)以上物体的比较，让幼儿找出它们在数、量、形等方面的相同和异同的一种教学方法。

按比较的排列形式可以分为对应比较和非对应比较两种。其中对应比较有重叠式、并放式和连线式三种形式；非对应比较有单排比较、双排比较和不同排列形式的比较三种形式。

运用比较法进行教学时，首先要组织幼儿对物体的数量或形状特征进行观察，在充分观察的基础上，再进行数或形等方面的比较；比较法不只限于让幼儿用视觉进行观察比较，还要尽量让幼儿亲自动手进行比较；在比较的过程中，教师要以启发性的问题指导幼儿进行比较，引导幼儿积极思考；比较形式的选择应根据教学内容、不同年龄班幼儿的具体水平来确定。

（三）发现法

发现法是教师在教学过程中，让幼儿依靠已有的数学知识和经验去发现与探索并获得初步数学知识的一种方法。它是教师启迪幼儿积极思考不可缺少的方法。发现法最大的特点就是激发幼儿的兴趣，最大限度地调动幼儿学习的主动性、积极性，引导幼儿通过积极的思考，独立探索并获取新的知识。

发现法适用于各个年龄班，应贯穿教学的全过程。这种方法的关键在于教师要善于提问，所提问题能起到引导幼儿思考、引导幼儿探索方向的作用。教师提出问题后，要鼓励每个幼儿独立地思考。在此前提下，也要创造条件开展幼儿之间的共同探索活动。幼儿之间对数的讨论或争论能起到很好的启迪作用。另外，运用发现法要面向全体、个别对待。幼儿对问题的探索能力是不同的，教师应鼓励并帮助有困难的幼儿，更应赞扬那些虽然未得到正确答案但能够积极进行探索的幼儿。

(四) 寻找法

寻找法是让幼儿从周围生活环境和事物中寻找数、量、形及其关系,或在直接感知的基础上按数、量、形的要求,寻找相应实物的一种方法。通常有在自然环境中寻找、在已准备好的环境中寻找和运用记忆表象来寻找三种形式。寻找法不仅可以提高幼儿学习数学的积极性,使幼儿的好奇心得到一定的满足,也有利于培养幼儿的观察力、注意力和分析与综合能力。

运用寻找法时,要根据具体的数学教育内容及幼儿的年龄特点,适时、适宜地选用,避免追求形式;教师对幼儿的寻找要进行必要的引导和启发;还可以和游戏法相结合,特别是低龄幼儿,更宜利用游戏的口吻、情节、场景启发幼儿寻找。

(五) 游戏法

游戏法是指通过游戏的形式帮助幼儿学习数学知识、发展思维的一种方法。幼儿在操作游戏的过程中,必然会有不同程度的观察与比较、分析与综合、抽象与概括以至于判断与推理,形成概念的积极思维过程。

幼儿园数学教育中的教学游戏主要有情境游戏、操作游戏、竞赛游戏、智力游戏等。

运用游戏法进行教学时,首先,教师设计游戏时,要突出数、形等与发展幼儿用思维能力有关的内容;其次,游戏规则不要过于复杂,情境是幼儿所能理解的,以免分散幼儿的注意力;最后,游戏种类以及游戏所占的比重应视幼儿的年龄和实际水平而定,小班幼儿多选择情境游戏,大班幼儿多选择智力游戏。

(六) 讲解演示法

讲解演示法就是教师通过向幼儿展示直观教具并配合口头讲解,把抽象的数、量、形等知识技能或规则,具体地呈现出来的一种教学方法。这种方法的特点就是边讲解边演示。它作为帮助幼儿克服困难、引导思路是必要且正确的。

运用讲解演示法时,一方面,必须突出学习的重点、难点,语言要简练、生动、准确、通俗易懂,动作适当放慢;另一方面,演示的教具要直观、美观、较大的,应是幼儿所熟悉的物体,避免用新奇的教具分散幼儿的注意力。

项目五　幼儿园艺术教育活动设计与实施

艺术是人类感受美、表现美和创造美的重要形式,也是表达自己对周围世界的认识和情绪态度的独特方式。

每个幼儿心里都有一颗美的种子。幼儿艺术领域学习的关键在于充分创造条件和机会,在大自然和社会文化生活中萌发幼儿对美的感受和体验,丰富其想象力和创造力,引导幼儿学会用心灵去感受和发现美,用自己的方式去表现和创造美。

幼儿对事物的感受和理解不同于成人,他们表达自己认识和情感的方式也有别于成人。幼儿独特的笔触、动作和语言往往蕴含着丰富的想象和情感,成人应对幼儿的艺术表现给予充分的理解和尊重,不能用自己的审美标准去评判幼儿,更不能为追求结果的"完美"而对幼儿进行千篇一律的训练,绝不能扼杀其想象与创造的萌芽。

任务一　幼儿园音乐教育活动设计与实施

人人都具有潜在的音乐本能,幼儿对音乐更是有着本能的反应。每个人都有与生俱来的对音乐的感受能力,但音乐能力的发展却是通过后天的学习和教育获得的。如果没有正确的早期训练和教育,很多幼儿就会丧失对音乐的基本感知能力。只有在了解幼儿音乐能力发展的基础上,采用适宜的方法和途径,才能把幼儿的音乐潜能激发出来,促进幼儿音乐能力的发展。

一、幼儿音乐能力的发展

(一)幼儿歌唱能力的发展

歌唱是幼儿的一种自然活动,也是幼儿最喜爱的音乐形式,在愉快的歌唱活动中,幼儿能通过这种简单的方式有效地表达自己的情感和体验,获得充分的成就感和满足感。对幼儿的歌唱能力有很多学者都做过研究,综合起来一般分为以下几种。

1. 歌唱中的音准和节奏

研究表明,音准是幼儿歌唱能力中发展最慢的一种能力。大多数幼儿即使在进入小学以后,仍不能解决基本的音准问题。因此,在范唱时,应尽量放慢速度,将旋律和歌词正确、清晰地演绎出来,并且给幼儿充足的时间和宽松的氛围。3 岁以前,幼儿歌唱一般被称作"近似歌唱"。3 岁幼儿在没有乐器伴奏的情况下,独立歌唱时的"走音"现象相当严重。幼儿的发声器官在整个学前期是处于生长发育状态,声带短小而柔嫩。2 岁幼儿的音域在 $d1-g1$ 范围;3~4 岁幼儿的音域一般在 $c1-a1$;4~6 岁幼儿的音域会稍有扩展,向上一般可以达到 $b1$ 或者 $c2$,向下一般可以达到 b 或者 a。所以,在选择歌曲的时候首先要关注歌曲的音高是否适合幼儿,教师也应该在幼儿能适应的音域范围内为歌曲确定合适的调性。

幼儿一般不适合唱旋律起伏过大的歌曲。对于幼儿来说,在适宜的音域范围内,比较容易掌握的音程首先是小三度、大二度,其次是大三度、纯四度、纯五度。而小二度音程和六度以上的大音程较难唱准。因此在选择歌曲时,还要考虑旋律比较平稳的歌曲,其中歌曲中的音程跳进不宜过多,跳进的跨度不宜过大。另外,关于歌曲的节奏,幼儿阶段的歌曲节奏应该与幼儿自身的生理活动相适应,或与幼儿的身体动作相协调,幼儿掌握起来会比较轻松。因此,一般由二分音符、四分音符、八分音符所构成的歌曲节奏是易于被幼儿所接受的。4~6岁的幼儿可以选择一些节奏较轻快或风格不同的歌曲,还可以适当选择带附点音符、十六分音符、切分音等稍微复杂节奏的歌曲,从而提高幼儿的歌唱能力。

2. 歌唱的技能、技巧

歌唱的技能、技巧主要包括歌唱中的姿势、呼吸、发声、咬字、表情等几个方面。首先是姿势,常见的姿势有坐姿和站姿。坐着歌唱时,要求幼儿身体坐直,两手自然放在腿上;站着歌唱时,要求幼儿身体直立,两手自然下垂。其次是呼吸,3岁以前,幼儿的肺活量较小,呼吸也较浅,歌唱时不能根据乐句的需要来换气,因为换气而中断句子、中断词义的情况也会时有发生;速度太快或太慢的歌曲都唱不了,节奏过于密集或过于舒缓的歌曲也难以胜任。4~6岁的幼儿,在良好的教育影响下,一般在呼吸时自然而迅速,不耸肩,能有节制地调节气息,能按照音乐的意蕴来换气,不中断音乐的句子。最后是发声与咬字,在幼儿阶段,应该学会用自然美好的声音来歌唱。幼儿自由、自然地歌唱时所发出的声音往往比较舒适、美好,所以我们要创设宽松的氛围,让幼儿在没有心理负担和技术负担的情况下熟悉歌曲,幼儿就会自然呈现明亮、美好、富有感染力的歌声。作为教师还要防止幼儿大声喊唱,因为它不仅无法保护幼儿的嗓音,还会破坏歌唱者整体的审美感觉。当然除了优美的音质外,清楚的咬字也是歌唱不可或缺的技能。为帮助幼儿获得正确的咬字、吐字方法,教师应当在范唱时做出正确的歌唱榜样,应尽可能面对面地对着幼儿歌唱,尽量避免用录音和CD等教学手段。

3. 歌唱中的音乐表现力

幼儿歌唱中的音乐表现力一般是通过歌声的高低、强弱和速度变化以及自然的面部表情反映出来的。3岁的幼儿在唱他们所熟悉和理解的歌曲时,一般运用速度、力度、音色的明显变化来表现歌曲中的不同形象和情绪。4~6岁的幼儿不仅更加积极主动地在歌唱中运用声音变化来表达感情,也有可能表现比较细腻和复杂的音乐形象。在联唱活动中绝不能为了增强听觉与视觉效果,让幼儿大声喊唱,或做一些夸张、造作的动作。

4. 歌唱中的合作协调

在集体歌唱时使自己的声音与同伴协调一致也是一种重要的歌唱能力。集体歌唱要求幼儿在歌唱时不仅要注意倾听自己的歌声,而且还要注意倾听同伴的歌声和伴奏的声音。在进入幼儿园以后,由于幼儿缺乏这方面的意识和能力,集体歌唱活动中会出现有人唱得慢,有人声音特别响等情况。但在良好的教育影响下,幼儿能逐渐意识到自己的声音是否与集体相一致,并会自己找出一些调整的方法,例如:降低自己的音量,以便听到他人的歌声;中途放慢或加快速度,从而与集体相一致等。

在正常情况下,幼儿在3岁末期基本上能够做到在音量、音色、音高和速度上与集体相一致,能够与集体同时开始和结束。小班幼儿还可能掌握简单的对唱和接唱,并能从集体歌唱活动中初步体会到协调一致的快乐。4~6岁的幼儿,在良好的教育影响下,已经积累了一定的合作歌唱的经验;已能从集体歌唱活动中体会到更多的愉悦感。在歌唱时不仅会较多地注意到声音表情的整体协调性,而且也能产生较多的情感默契和共鸣。同时,他们还能掌握独立的对唱、接唱、领唱、齐唱、轮唱及简单的二声部合唱等合作的歌唱表演形式。

(二)幼儿韵律能力的发展

幼儿韵律能力是指幼儿在进行韵律活动时使身体动作与音乐协调一致的能力。这一能力是幼儿期非常重要的一个发展领域,也是一项需要通过许多练习才能逐渐养成的能力,对幼儿未来身体动作的协调性、音乐感受力和注意力的发展都会有很大的影响。

1. 幼儿随乐能力的发展

幼儿的动作是从整体到局部、从粗糙到精细、从未分化的不随意阶段逐步向初步分化的随意阶段发展的。随乐的身体动作可以分成非移位动作和移位动作两种。非移位动作是指那些在不移动身体位置的情况下做出的动作。移位动作是指那些在移动身体位置的过程中做出的动作。有关研究表明,幼儿最先发展的动作是非移位动作,在非移位动作中,首先发展的是上肢动作,其次才是躯干动作和下肢动作。在移位动作中,较先发展的是没有身体腾空过程的移位动作。

春天在哪里

随乐的身体动作还可以分成单纯动作和复合动作。单纯动作是指那些只由身体的某一部位参与做出的动作。复合动作是指那些由身体的两个或两个以上的部位联合做出的动作。有关研究表明,幼儿较先发展的是单纯的身体动作。联合的身体动作对神经系统的协调要求相对较高,这方面的发展也就相对较晚、较慢。

图谱

2. 幼儿合作协调能力的发展

身体的协调性,是幼儿顺利进行音乐、舞蹈等活动所需要的一种动作能力。构成韵律活动中合作协调能力的基础主要是:动作关系的判断、调节能力;情感关系的判断、调节能力;空间关系的判断、调节能力。这种能力主要表现在以下几个方面:

第一,身体各部分之间以及身体与头脑之间能够保持基本的协调性;

第二,身体运动时能够与音乐保持基本的协调性;

第三,身体运动时能够与他人保持基本的协调性;

第四,身体运动时能够与周边环境中的物体以及空间保持基本的协调性。

将音乐表现中的音响力度、速度、音色的对比变化等要素与幼儿运动时的能量、空间、时间融合在一起,能使他们具有联系和体验音乐情绪的能力。因此,应该先让幼儿的身体动作对音响运动和音乐情感加以体验,然后再学习音乐知识与规则,并且这种体验应该以音乐与身体运动结合的节奏运动为基础。

(三)幼儿打击乐器演奏能力的发展

打击乐器演奏主要使用大肌肉动作,对于精细的小肌肉动作能力尚处于发展初期的幼儿来说,它们是最自然的音乐表达工具,也最容易从中获得快乐的源泉。幼儿打击乐器演奏不仅需要一定的使用不同乐器的能力、一定的对音乐感知和理解的能力;还需要有一定的运用节奏和音色进行创造性表现的能力,此外,在集体的演奏活动中,还需要遵守集体演奏活动的规则,努力与集体协调一致的意志和能力也是必不可少的。在集体的打击乐器演奏活动中,音乐能力的发展与后天的教育有着紧密的联系。

1. 乐器操作与控制能力的发展

乐器操作能力是指运用乐器演奏出想要听到的特定音响的能力。构成打击乐器操作能力的基础主要是对特定乐器、演奏方法、特定音响之间关系的认知能力和操作能力,探究能力和一定的乐器知识。进入幼儿园以后,3岁的幼儿可能接触到一些专门为幼儿设计制造的打击乐器。在良好的教育影响下,他们能够逐渐掌握一些主要用大肌肉动作来演奏的打击乐器,如铃鼓、串铃、圆舞板等;4~6岁的幼儿能熟悉多种打击乐器,并能熟练地掌握乐器的不同的演奏方法,他们能够逐渐使用小肌肉动作演奏乐器,并喜欢用不同的方法来探索同一种乐器的不同演奏方法。在控制、调整用力方式和用力强度,奏出所需要的音量和音色方面,中班、大班幼儿也会更有意识地做,并积累各种乐器音色的经验。

2. 打击乐中幼儿随乐能力的发展

乐器演奏活动中的随乐能力是指在演奏打击乐器的过程中使奏出的音响与音乐协调一致的能力。这里的协调一致是指幼儿在奏乐活动中,按照音乐的节拍、速度等要求,熟练地运用打击乐器演奏,并与音乐的变化相协调,这必须以熟练地操作乐器和敏锐地感知音乐为基础。3岁的幼儿在刚进入幼儿园时,随乐意识和随乐能力较差,大多数的幼儿都无法做到基本合拍地随乐演奏;4~6岁的幼儿,在良好的教育影响下,演奏打击乐器的随乐能力会有比较明显的提升,不但能够自如地用简单的节奏跟随音乐合奏,还能更加自觉地注意倾听音乐,并努力使自己的演奏能够与音乐的速度、力度变化相一致;能够学会看着图谱随着较复杂的音乐演奏乐器,甚至还能看指挥手势即兴变化随乐演奏。

3. 打击乐中幼儿合作协调能力的发展

乐器演奏活动中的合作协调能力是指在演奏打击乐器的过程中注意倾听自己、同伴、集体的演奏,并努力使每一个人、每一声部的演奏都能服从于整体音乐形象塑造的效果。构成乐器演奏的合作协调能力的基础主要是对各种音响关系(个人演奏音响、声部音响、整体音响)的倾听、判断和调节能力。

3岁的幼儿能够学会在演奏时与大家一起整齐地开始和结束;能够初步学会理解简单的指挥手势;能够初步体验到合作协调的愉快,愿意在演奏活动中用积极的情感态度与他人沟通、配合。4~6岁的幼儿,在良好的教育影响下,能进一步学会在许多声部合奏活动中主动地关注整体音响,并努力保持整体音响的协调性;能迅速理解各种指挥手势并积极、准确地做出反应;在担任指挥时,能以明确的手势对演奏者做出指示,能以体态表情与演奏者进行积极的情感沟通,以唤起全体参与者合作表演的热情。

4. 创造性表现

创造性表现是指在演奏打击乐器的过程中运用节奏、音色、速度、力度的变化设计配器方案进行演奏表现的活动。创造性表现的能力是建立在以下基础之上的：一定的演奏技能和节奏语汇；对各种乐器音色有一定的了解；运用乐器演奏进行想象、联想和表达音乐的能力。进入幼儿园以后，在良好的教育影响下，3岁的幼儿能够学会为熟悉的、性质鲜明的音乐形象选择比较合适的乐器和演奏方法。如为表现下大雨的音乐选择铃鼓，为表现下小雨的音乐选择串铃等。4~6岁的幼儿，在良好的教育影响下，不仅能够积累一定的打击乐作品，而且还能够学会一些最基本的节奏型和用各种不同的音色配置方案"装饰"这些节奏型的方法。

（四）幼儿音乐欣赏能力的发展

音乐欣赏，是怀着欣喜之情反复倾听音乐的活动。人们欣赏音乐，首先要有欣赏的兴趣和愿望，其次要有感知音乐的音响并从中获得积极体验的能力。音乐欣赏能力越强，欣赏的兴趣和愿望也会越强；兴趣和愿望越强烈，就越可能主动去寻求更多欣赏机会，收获也就越大。

1. 对音乐情绪的感受

音乐情绪是指在音响运动作用下，伴随音乐形式美感直接产生的音乐情感体验。如欢快、优雅、舒缓、深情、忧伤、诙谐、幽默等。3~4岁的幼儿对音乐的情绪还不太理解，引起他们注意的往往是一些特殊的因素，如模拟性的前奏、尾声，但是他们在听到雄壮有力的进行曲和柔和优美的摇篮曲时，尽管不能用词语来表达它们的区别，却能用不同的动作表现这些音乐性质的不同。例如在摇篮曲的伴随下轻柔地抱娃娃睡觉，在听到进行曲时精神抖擞地走步。4~5岁的幼儿分辨音乐性质、题材、风格的能力大大提升了。对一些熟悉的内容、形象性强的，如表现乌龟、小兔、大象等动物活动的乐曲能很快识别，对不同体裁的舞曲、进行曲、摇篮曲能有正确感受，他们可以借助于图片选择或动作做出正确的回答。5~6岁的幼儿可以不借助于图片和动作，直接用语言来表达对音乐的情绪体验和感受。他们不仅能够正确辨认熟悉的音乐作品的情绪性质，而且能够感知作品中的各个细节部分，对于类似音乐形象的作品已经能够准确归类。他们还掌握了一些表现音乐情绪的词汇，在用语言表达感受时，还会加上许多自己想象的内容和情节。

2. 对音乐基本表现手段的感受

音乐基本表现手段包括节奏、旋律、音色、速度、织体、力度、结构、风格等。3~4岁的幼儿能辨认音乐作品中速度的变化，能用动作跟随音乐速度变化而变化。但对感知音乐中力度的变化还有一定的困难，对音区的变化只能大致地听出高音区和低音区的不同。4~5岁的幼儿能区别音乐中明显的速度变化，在欣赏有鲜明对比的音乐时，能较轻松地指出音乐力度的变化，能听出小马由远到近地跑过来、又跑向远方的这种在力度上由弱到强、又由强到弱的渐变过程，但是常常把强音和高音、弱音和低音联系起来。5~6岁的幼儿对音乐作品的力度、速度、音区的变化都能够清楚准确地加以辨别。对音色的辨别能力发展得较好，基本能够区分教师和班上每个幼儿的不同音色,对音乐中的男声、女声、童声都能区别,还能区分一些熟悉的乐器音色。

二、幼儿园音乐教育的目标

幼儿园音乐教育目标既是学前教育总目标的有机组成部分,又是幼儿园阶段音乐教育的特殊要求。

(一)幼儿园音乐教育的总目标

幼儿园音乐教育的总目标是对幼儿园音乐教育总的任务要求。《幼儿园教育指导纲要(试行)》对艺术领域的总目标表述是:

(1)能初步感受并喜爱环境、生活和艺术中的美;

(2)喜欢参加艺术活动,并能大胆地表现自己的情感和体验;

(3)能用自己喜欢的方式进行艺术表现活动。

由此可见,感受、体验和表现是音乐教育活动总目标的关键。音乐教育活动不是知识的灌输,而是强调幼儿的亲身体验。对幼儿来说,感知主要是指感性地听,对音乐作品的构成要素、表现形式等有初步的感受与认识。体验主要是指通过亲身实践,在与作品相互激发、融合的过程中,在感知的触动和引领下,伴随发生的情感反应。幼儿在获得艺术体验时,常常伴有相应的外部行为表现——随乐运动。这些运动就是"表现",即"演唱""表演"或"创造性地表现"的雏形,在教师的引导下,幼儿可以获得更为深入的表现体验。

(二)幼儿园音乐教育的年龄阶段目标

幼儿园音乐教育的年龄阶段目标是总目标在各年龄阶段的具体体现,也就是对幼儿园各年龄班幼儿音乐发展提出的具体要求。幼儿园音乐的年龄阶段目标主要是指根据每个年龄阶段幼儿的音乐感受力及动作发展的不同,而形成的相对应的目标。主要是为了让幼教工作者了解幼儿整体的年龄阶段性目标,从中发现幼儿的学习特点与规律,揭示幼儿的音域特点、发声水平、动作特点、思维、兴趣、情绪特征以及音乐表现程度等,从而制订恰当的单元目标、周计划和活动目标,便于为幼儿选择合适的音乐素材。一般将幼儿园音乐教育的年龄阶段目标分为歌唱活动、韵律活动、打击乐器演奏活动和音乐欣赏活动四个方面来阐述。

《3~6岁儿童学习与发展指南》中对幼儿园音乐教育的年龄阶段目标表述如下。

1. 感受与欣赏

目标1 喜欢自然界与生活中美的事物

3~4岁	4~5岁	5~6岁
容易被自然界中的鸟鸣、风声、雨声等好听的声音所吸引。	喜欢倾听各种好听的声音,感知声音的高低、长短、强弱等变化。	乐于模仿自然界和生活环境中有特点的声音,并产生相应的联想。

目标2 喜欢欣赏多种多样的艺术形式和作品

3~4岁	4~5岁	5~6岁
喜欢听音乐或观看舞蹈、戏剧等表演。	1. 能够专心地观看自己喜欢的文艺演出或艺术品,有模仿和参与的愿望。 2. 欣赏艺术作品时会产生相应的联想和情绪反应。	1. 艺术欣赏时常常用表情、动作、语言等方式表达自己的理解。 2. 愿意和别人分享、交流自己喜爱的艺术作品和美感体验。

2. 表现与创造

目标1 喜欢进行艺术活动并大胆表现

3~4岁	4~5岁	5~6岁
经常自哼自唱或模仿有趣的动作、表情和声调。	经常唱唱跳跳,愿意参加歌唱、律动、舞蹈、表演等活动。	1. 积极参与艺术活动,有自己比较喜欢的活动形式。 2. 能用多种工具、材料或不同的表现手法表达自己的感受和想象。 3. 艺术活动中能与他人相互配合,也能独立表现。

目标2 具有初步的艺术表现与创造能力

3~4岁	4~5岁	5~6岁
1. 能模仿学唱短小歌曲。 2. 能跟随熟悉的音乐做身体动作。 3. 能用声音、动作、姿态模拟自然界的事物和生活情景。	1. 能用自然的、音量适中的声音基本准确地唱歌。 2. 能通过即兴哼唱、即兴表演或给熟悉的歌曲编词来表达自己的心情。 3. 能用拍手、踏脚等身体动作或可敲击的物品敲打节拍和基本节奏。	1. 能用基本准确的节奏和音调唱歌。 2. 能用律动或简单的舞蹈动作表现自己的情绪或自然界的情景。 3. 能自编自演故事,并为表演选择和搭配简单的服饰、道具或布景。

(三)幼儿园音乐教育的活动目标

幼儿园音乐教育的活动目标是以单元目标的具体化来展开的,必须与总目标、年龄阶段目标保持一致性,同时它又是最具体的目标,具有可操作性。它与上一层目标紧紧相连,环环相扣,共同组成一个金字塔式的目标层。从年龄阶段目标分析中可以看出,幼儿园音乐教育目标是通过层层的具体化,逐步落实到每一个教育过程中的。因此,教育者在教育实践过程中的每一个具体的工作环节中都必须依据教育目标,努力通过低层次目标的实现,而最终达到高层次目标的实现,同时,更好地思考如何将高层次目标准确的转化为低一层的目标,从而推动音乐教育目标的有效达成,最终促进幼儿的发展。

三、幼儿园音乐教育的内容

幼儿园音乐教育的内容一般是指幼儿从音乐教育活动中得到的主要经验的总和。它一般包括音乐舞蹈语汇及作品的形式和内容；运用音乐、舞蹈、乐器进行表达的知识和技能等。幼儿园音乐教育的内容是实现幼儿园音乐教育目标的媒介，是目标转化为儿童发展的中间环节，也是教育活动设计与具体实施的主要依据。幼儿园音乐教育的内容应关注学科内容与幼儿已有生活经验的契合；选择那些既具有文化内涵，又符合幼儿自身特定的生活经验、愿望与情趣的作品，尤其让幼儿关注自然环境和生活中美的事物的欣赏与感受，并特别强调尊重幼儿自发的、个性化的表现与创造，倡导幼儿用自己的创造来表达思想感情，美化生活。幼儿园音乐教育的内容包括以下四个相对独立又相互联系的方面：歌唱活动、韵律活动、打击乐器演奏活动和音乐欣赏活动。

（一）歌唱活动

歌唱是人类音乐活动的重要领域之一，也是人类表达、交流情感的最自然的手段之一。柯达伊曾说过，你的喉咙里有一样乐器，只要你愿意使用它，它的乐音比世界上任何小提琴都美。歌唱具有重要的教育价值，一方面，它是陶冶情操、启迪智慧、活跃思想、完善品格、愉悦身心的美育内容；另一方面，它包含了多种音乐知识和歌唱技能，是培养幼儿音乐感受能力、表现能力和鉴赏能力的重要方式和途径。幼儿园歌唱活动的教育内容主要有歌曲、歌唱的表演形式、歌唱的简单知识与技能、嗓音保护的知识与技能。

布谷鸟

郊游

歌唱活动的教育内容主要是歌曲，歌曲在幼儿园音乐教育活动中占有很重要的地位，是对幼儿进行音乐教育的媒介。在选择歌曲时，除了要注意其可接受性以外，还要注意其教育性。也就是说，所选择的歌曲除了应是幼儿易于理解和掌握的以外，还应具有思想性、艺术性，以及内容、形式、风格等方面的丰富性和多样性。

（二）韵律活动

在幼儿园的韵律活动中，音乐与身体动作常常是分不开的。达尔克罗兹曾说过，人类的情感是音乐的来源，而情感通常是由人的身体动作表现出来的，在人的身体中有感受和分析音乐与情感的各种潜能。因此，随音乐进行的身体活动，不仅是幼儿学习舞蹈、学习音乐的最自然的方式，也是幼儿体验和表达情感最自然的方式之一。韵律活动的教育价值主要体现在：发展身体运动的能力，发展借助于身体动作感受和表现音乐的能力；提高身心协调地活动的能力。与此同时，韵律活动还能够满足幼儿对身体活动的需要，参与音乐过程进行探究的需要，想象、联想、思维、创造性表现的需要以及交流合作的需要等，为幼儿身心健康的发展提供必要的外部条件。幼儿园韵律活动的教育内容主要有韵律动作及其组合、韵律的表演形式、韵律的简单知识与技能。

（三）打击乐器演奏活动

打击乐器演奏是幼儿学习音乐、享受音乐的重要途径之一。奥尔夫认为，在人类乐器演奏活动的历史中,打击乐器是起源最早的乐器种类之一。在现代社会幼儿的音乐活动中,打击乐器又是最容易掌握、最容易从中获得音乐享受的乐器种类。开展打击乐器演奏活动,可以发展幼儿演奏乐器的兴趣;可以使幼儿有机会参与表演篇幅较长、结构较复杂的音乐作品,从而提高幼儿对这些音乐作品的熟悉程度,扩展幼儿的音乐语汇,提高幼儿的音乐理解能力;可以发展幼儿听辨节奏和音色的能力,发展良好的合作意识和熟练的协调技能。在乐器演奏和制作活动中,幼儿还可以发展自己的探索精神和创造能力。幼儿园打击乐器演奏活动的教育内容主要有打击乐乐曲、打击乐器演奏的简单知识与技能。

(四)音乐欣赏活动

音乐欣赏是以音乐作品为欣赏对象,在聆听的基础上通过其他辅助手段来体验和领悟音乐的真谛,从而得到精神愉悦的一种审美活动。音乐欣赏活动是一种听觉的审美活动,必须以听为基础,必须让听贯穿活动的始终。同时幼儿是欣赏的主体,音乐是活动的中心,幼儿所进行的表达或表现必须与音乐紧密相连,而不是脱离音乐进行自由表达。教师绝不能以表演者或说教者的身份占据课堂,而应当把更多的空间和时间留给幼儿,让幼儿在教师的有效引导下充分地感受和表现音乐。其中,绘画、语言等只是作为音乐欣赏的辅助手段,而不能成为音乐欣赏活动的主体。绝不能在音乐欣赏活动中太过注重音乐知识和技能的学习,而忽视了音乐的审美价值。幼儿园音乐欣赏活动的教育内容主要有倾听周围环境中的音响、欣赏音乐作品、音乐欣赏的简单知识与技能。

四、幼儿园音乐教育的方法

(一)教师教的方法

教师作为音乐教育活动的一个重要方面,其指导作用将直接或间接地影响活动的进程、活动的效果,进而影响幼儿的发展。因此,教师应针对具体的活动内容、形式及幼儿的实际情况,选用合理而恰当地方法。

1.直观演示的方法

直观演示的方法是指在幼儿园音乐教育活动中借助于教师的演唱、演奏、动作表演或一定的图片、实物以及幻灯、投影、录像等直观手段,使幼儿通过直接感受,获得清晰的音乐表象,提高学习兴趣,从而优化学习效果的一种方法。它在幼儿园音乐教育活动中已引起普遍的重视并被广泛使用。

直观演示的方法一般有两类:一是示范的方法,指教师用现场演唱、演奏、动作表演等方式,向幼儿提供活动的范例。教师在使用示范的方法时应注意以下几点:教师的示范应正确、熟练、自然而富有艺术的感染力;示范之前,教师应该明确示范的目的,让幼儿明确应该如何观察示范和在观察后如何做出反应;示范应辅以一定的语言讲解和提示;示范者要多样化,应尽量发挥幼儿表演的示范作用;示范应考虑到幼儿的年龄因素,注意适度、适时、谨慎而灵活;注意示范的位置,应使每个幼儿都能清楚地观察、感知到。

二是演示的方法,指配合一定的活动内容,教师用相应的图片、实物、幻灯、投影、录像等直观手段,帮助幼儿更好地理解音乐的内容和情感。教师在使用演示的方法时应注意以下几点:用于演示的教具形象应与音乐的性质、风格相一致;用于演示的教具应适度、适量,避免喧宾夺主;用于演示的教具应富有一定的艺术性和趣味性,从而激发幼儿的审美情趣。

2. 运用语言的方法

运用语言的方法是指音乐活动中的讲解、提问、描述、反馈、激励等诸多以语言为主要教学方法的总称。音乐活动中常用的语言指导方法一般有以下几种。

(1)讲解。讲解是指对与音乐活动有关的信息及活动方法、程序和规则的讲述、说明或解释。在幼儿园音乐活动中合理地运用讲解法,既可以加深幼儿对活动内容和要求的理解,又有利于促进幼儿的音乐探索和创造。

(2)提问。提问是指幼儿园音乐活动中一种常用的语言辅助方法。在幼儿园的音乐活动中采用提问的方法可以促进幼儿在观察的基础上,更好地迁移和探索。在教师运用这种方法时应注意:教师的问题应具有启发性、开放性;问题的设计既要考虑到与活动内容、要求相适应,又要考虑幼儿的知识经验和发展水平,问题便于幼儿理解和回答;可以在活动中灵活调整问题的难度,也可以在一个问题的基础上层层引出新问题。

(3)反馈。反馈是指教师在音乐活动中运用语言促使幼儿及时地了解自己对音乐所做出的反应,并及时地调整自己的活动行为。教师运用这种方法时应注意:反馈时应面向全体;语言的反馈可以和动作技能的反馈相结合;教师的反馈要尽量客观,并平等地看待每一名幼儿;反馈时以正面的肯定为主,宜多采用样板性反馈和激励性反馈。

3. 变换角色的方法

(1)参与。参与的方法是指在音乐教育活动中,教师是平等的活动加入者、幼儿活动的合作者或以音乐表演中的某一特定角色身份进行音乐活动的指导。音乐活动中教师的参与不但可以给幼儿的音乐探索和表现提供间接的指导,而且可以使幼儿体验并享受到师幼共同活动的自由和乐趣。教师在运用参与的方法时,必须注意以平等而不是权威的身份加入活动;教师的观点和意见,仅供幼儿参考而非必须让幼儿接受;以音乐中的某一特定角色身份出现时,教师的表演应注意既与音乐的形象相符合,又能对幼儿产生较大的吸引力。

(2)退出。在幼儿园音乐教育活动中,教师运用退出的方法,主要包含:一是指教师从参与的状态中退出,对活动施以影响;二是指教师从心理上退出,不在活动进程中占据权威的、中心的地位;三是指教师在活动的空间位置上退出,把中心位置让给幼儿以观察者、旁观者的身份对活动进行指导。

在幼儿园音乐教育活动中运用退出的方法,一方面,可以尽可能地创造机会让幼儿自由地发挥和表达,增加教师了解幼儿能力的机会;另一方面,可以帮助幼儿形成和发展自我教育及相互教育的意识和能力。教师在运用这种方法时应注意:根据幼儿的具体发展水平和具体情况,逐步、谨慎地退出;根据活动进程和幼儿的反应,及时、灵活地变换运用参与和退出的方法;在退出的同时,合理、适时地对幼儿进行间接指导,同时加强对活动的随机观察和反馈。

(二)幼儿学的方法

随着教育观念的不断更新,人们逐渐认识到幼儿是自己学习和发展的主人,教师的"教"并不等于幼儿的"学"、幼儿的发展。从幼儿的学习活动方式来看,我们可以将幼儿园音乐教育活动的方法归纳为以下几种。

1. 模仿学习的方法

模仿学习是指在音乐活动中幼儿通过教师提供的活动范例,在观察的基础上模仿并反复练习,最终理解并再现某音乐作品或掌握某一音乐技能。模仿学习能帮助幼儿较为迅速而有效地掌握音乐的基本技能,逐渐积累音乐语汇。因此,模仿学习的方法长期以来一直是幼儿园音乐教育实践过程中基本的、被普遍采用的方法之一。值得一提的是,在模仿学习的过程中,练习是一种主要的方法。因为音乐本身是一门技艺性较强的学科,在教师的指导下需要进行各种技能的训练。教师在运用这种方法时应注意:要有明确的练习目的和要求;要适当地安排练习的分量、次数和时间;在练习的同时,还要有意识地调动幼儿练习的积极性和创造性;尽量采用变化多样的练习形式。

2. 预知学习的方法

"预知学习"一词源于德国的奥尔夫音乐教育体系,它是一种教师通过引导,帮助幼儿将原有的知识、技能应用到新的问题情境中去的特殊的学习方法。预知学习的方法旨在更好地激发大多数幼儿对音乐活动的兴趣、动机,使幼儿更顺利、主动地直接运用"预知"的知识、经验进行较高水平层次上的音乐感知、表现和创造。

与模仿学习的方法不同的是,预知学习不是由教师直接向幼儿提供要学习和掌握的知识和技能,而是由教师创设一个问题情境,引导幼儿步步深入,通过主动的探索性、创造性活动来掌握、发展甚至重组音乐的作品或材料。

使用预知学习的方法,教师在活动设计之前,不仅要熟悉教材,更要"预知"幼儿,在此基础上设计合适的问题情境或材料,引导幼儿通过迁移性的自学、互学活动进行大胆探索和创编。

3. 整体感知的方法

整体感知的方法是指在音乐教育活动中利用音乐结构本身的整体统一性和整体协调性,从整体入手引导幼儿感知、体验并表现音乐的一种方法。整体感知的方法提倡在音乐活动中把音乐的部分与整体,歌曲的曲调与歌词,韵律活动中的音乐与动作,音乐欣赏中的欣赏与表演、创作,音乐的知识、技能与音乐感受力、表现力以及音乐活动中教师的活动与幼儿的活动等视为一个和谐统一的整体加以整合,而不是把它们作为相互割裂甚至对立的部分来看待。整体感知的方法最突出的优势之一是能够使幼儿相对容易地感受、体验到音乐的全部内容,从而进入有完整意义的音乐学习。

4. 多感官参与的方法

多感官参与的方法是指在音乐活动中调动幼儿的多种感觉器官协同参与,以更好地丰富和强化幼儿对音乐的感受和理解,体验并享受音乐艺术的美。多感官参与的方法不仅能够有效地提高幼儿感知、理解和表现音乐的能力,而且能够调动和激发幼儿参与活动的主动性、积极性和创造性。

在音乐教育的诸多方法中,每一种方法都有其长处。因此,教师在以音乐教育促进幼儿主体性发展的过程中,要合理地根据音乐活动的内容和形式综合考虑,引导幼儿进入音乐学习,将各种方法视为一个相互渗透、相互补充的有机统一的整体。

任务二　幼儿园美术教育活动设计与实施

美术是艺术的一个重要门类,幼儿园美术是幼儿生命需求的直接显现,是幼儿认识和把握世界的一种方式,是幼儿记录生活和表达观念、情感与需求的一种手段,兼具工作和游戏的双重特性。幼儿园美术活动过程是多种感官共同参与的过程,是一个不断对话、不断解决问题的过程。

一、幼儿园美术教育的特点

幼儿园美术教育是教育者遵循幼儿教育的总体要求,根据幼儿身心发展的特点和规律,有目的、有计划地通过美术欣赏或美术创作活动来感染幼儿,培养幼儿的艺术审美能力和美术创作能力,最终促进幼儿人格和谐发展的一种审美教育。幼儿园美术教育旨在满足幼儿身心发展需要、提高幼儿审美修养和艺术素质,它更加强调幼儿在活动过程中的体验,是以活动过程本身为目的的一种需要的满足。幼儿园美术教育的特点表现在以下几个方面。

(一)具有强烈的情感色彩,强调幼儿的情感体验和表达

幼儿丰富的情感往往是他们参与各种活动的原动力,在进行幼儿园美术教育时,教师应首先考虑幼儿的情感需要。幼儿对美术有一种自然的需要,他们喜欢这里涂涂,那里画画,不是因为需要一份作品,而是因为幼儿将美术作为表达他们情感的一种自然途径。幼儿在观察和探究周围世界时,总是容易将自己的情绪情感投射到物体本身,用一种十分感性的方式来把握和理解世界。例如,幼儿会觉得大树和花儿跟自己一样高兴或难过,所以儿童画中的植物往往都有表情;幼儿也会把天上的星星当作点亮的电灯,把落叶当成树妈妈的宝宝等。正是由于幼儿与周围事物间的这种情感上的共鸣,促使幼儿用美术的形式将其表达出来。因此,在对幼儿进行美术教育时,教师应当为幼儿创造宽松愉悦的心理环境和充满情感色彩的审美环境;在让幼儿观察事物时,要注意和幼儿进行情感上的沟通,使他们产生审美愉悦感,从而使幼儿愿意和喜欢通过美术活动来表达自己的情感和想法。同时,教师也要鼓励幼儿将自己的作品与他人进行分享和交流,在这种交流的过程中,幼儿不但沟通了情感,也获得了新的情感体验和满足。

(二)以培养审美创造能力为核心,鼓励幼儿的创造性想法和表达

每个幼儿都有创造的潜力。幼儿所特有的不受客观世界规则所约束的想象力,使他们具

有独特的创造天赋。和成人的创造力不同,幼儿的创造力是指创造出对其个人来说全新的、前所未有的事物的能力。具体来说,就是幼儿在美术教育活动中,利用物质材料和主观经验加以重新组合,制作出对其个人来说是新颖的、有价值的美术作品的能力。需要注意的是,幼儿的创造性想法和表达,往往只是基于他的个人价值,若教师依据自己对于美术作品好坏的标准来衡量,其结果往往会扼杀幼儿的创造性。而幼儿美术作品的珍贵之处,恰恰就在于它不受任何条框和规则的限制,不用考虑逻辑和比例,凭他们自己的想象和主观感受来表达自身的情感。因此,教师在看待幼儿的美术作品时,要多站在幼儿的角度,用欣赏和发现的眼光来评价。从幼儿园美术教育的角度来说,一幅精美的或栩栩如生的作品可能并不比一幅随意涂鸦的作品更有价值。教师要保护幼儿的这种创造性,既要有发现幼儿创造的眼光,又要有积极的鼓励行为。

(三)重视幼儿的操作,强调多种感官的协调活动

美术教育中不可缺少的重要组成部分之一就是操作。幼儿正是在操作中亲身体验某种情感的发展,体验美术活动的乐趣,进而获得审美感知并进行审美创作的。

幼儿园美术教育活动中的操作包括心理操作和实际操作两个方面。在心理操作过程中,幼儿主要通过多种感官来观察和感知审美对象,用脑去想象、理解和加工审美意向,从而获得审美情感的成功体验,并在自己和审美对象之间形成一种情感上的共鸣,然后用语言同他人交流自己的这种审美情感。最后,幼儿通过实际操作,运用美术工具和材料,将自己的想法和情感表达出来。教师要注意的是,强调操作并不是强调幼儿的美术技巧,也不是强调最后完成的美术作品,而是强调幼儿在操作过程中在多种感官协调下所获得的体验。对幼儿今后的审美修养和艺术素质的发展来说,这远比单纯的技巧要重要且有意义。

二、幼儿园美术教育的目标

《幼儿园教育指导纲要(试行)》中明确规定了幼儿园艺术教育的目标,从社会对未来人才的要求、艺术学科本身的特点、幼儿发展的年龄特点出发,提出了健全和完善幼儿人格的审美教育要求。一般来说,《幼儿园教育指导纲要(试行)》既考虑到幼儿发展的年龄特点,又考虑到社会对未来人才的要求,同时也充分发掘了艺术特有的、通过审美愉悦来健全完善幼儿人格的审美教育价值,体现了"感受与创造并重"的终身艺术教育观。其实质就是培养幼儿的审美感受能力和艺术创造能力。

幼儿园美术教育的目标是指导幼儿园美术教育活动设计与实施过程的关键。幼儿园美术教育目标应从不同层面来考虑,一般认为,幼儿园美术教育目标主要包含三个层面:总目标、年龄阶段目标和活动目标。

(一)幼儿园美术教育的总目标

幼儿园美术教育的总目标,是幼儿阶段美术教育总的任务要求。幼儿园美术教育是为了让幼儿在美术活动中受到美的熏陶,丰富幼儿的心灵;在美术教育活动中满足幼儿活动与交往的心理需求和情感需要;让幼儿的生活充满美,让美成为幼儿生活中不可或缺的一部分,并延续为终身的需求,最终让幼儿全面健康、快乐地成长。

(二) 幼儿园美术教育的年龄阶段目标

1. 感受与欣赏

目标1　喜欢自然界与生活中美的事物

3~4岁	4~5岁	5~6岁
喜欢观看花草树木、日月星空等大自然中美的事物。	在欣赏自然界和生活环境中美的事物时,关注其色彩、形态等特征。	乐于收集美的物品或向别人介绍所发现的美的事物。

目标2　喜欢欣赏多种多样的艺术形式和作品

3~4岁	4~5岁	5~6岁
乐于观看绘画、泥塑或其他艺术形式的作品。	欣赏艺术作品时会产生相应的联想和情绪反应。	愿意和别人分享、交流自己喜爱的艺术作品和美感体验。

2. 表现与创造

目标1　喜欢进行艺术活动并大胆表现

3~4岁	4~5岁	5~6岁
经常涂涂画画、粘粘贴贴并乐在其中。	经常用绘画、捏泥、手工制作等多种方式表现自己的所见所想。	1. 积极参与艺术活动,有自己比较喜欢的活动形式。 2. 能用多种工具、材料或不同的表现手法表达自己的感受和想象。 3. 艺术活动中能与他人相互配合,也能独立表现。

目标2　具有初步的艺术表现与创造能力

3~4岁	4~5岁	5~6岁
能用简单的线条和色彩大体画出自己想画的人或事物。	能运用绘画、手工制作等表现自己观察到或想象的事物。	能用自己制作的美术作品布置环境、美化生活。

(三) 幼儿园美术教育的活动目标

幼儿园美术教育的活动目标是指某一具体的美术教育活动的目标。幼儿园美术教育的其他目标最终都要通过教育活动目标才得以落实。因此,教育活动目标必须具有操作性。具体来说,制订活动目标应注意以下两点。

1. 活动目标要关注幼儿的发展

一方面,活动目标应适应幼儿已有的发展水平,符合他们美术学习发展的规律和特点;另一方面,活动目标应把他们在成人的帮助下能达到的水平,即把促进幼儿的发展作为落脚点。

2. 活动目标要注意整合性

这种整合性主要表现为：一是指活动目标要考虑幼儿的认知、情感、技能等多方面的整合；二是指活动目标要考虑美术与其他教育领域的整合。

三、幼儿园美术教育的内容

1. 幼儿园绘画教育活动

幼儿园绘画教育活动是教师引导幼儿用各种笔、纸等工具和材料，运用线条、造型、色彩、构图等艺术语言创造出视觉形象，从而表达创作者的思想、情感的一种教育活动。幼儿园绘画教育活动主要包括绘画工具和材料的认识及使用、绘画的形式语言、绘画活动常见的类型等。

2. 幼儿园手工教育活动

幼儿园手工教育活动是幼儿发挥自己的想象力与创造力，直接用手或简单操作工具，对具有可塑性的各种形态（点状、面状、线状、块状）的物质材料进行加工、改造，制造出占有一定空间的、可视且可触摸的、多种艺术形象的一种教育活动。幼儿园手工教育活动主要包括手工工具和材料的认识及使用、手工材料的基本制作方法、各年龄班手工教育活动内容的选择等。

3. 幼儿园美术欣赏教育活动

幼儿园美术欣赏教育活动是幼儿欣赏周围环境与生活中美好事物以及美术作品，感受其形式美和内容美，从而丰富自己的美感经验，提高自己的审美情趣和审美能力的一种教育活动。幼儿园美术欣赏教育活动主要包括各种类型的美术作品。首先是各种在美术史上既有一定影响，又适合幼儿欣赏的经典绘画作品、雕塑作品、建筑作品、工艺美术作品以及各种优秀的民间美术作品和儿童作品。除此之外，还包括一定的美术欣赏知识和技能，这些美术欣赏知识和技能都只是初步的、启蒙性的。初步的美术欣赏知识包括关于色彩、线条、构图等方面初步的美术知识和术语，如冷色、暖色、变化、对称等；艺术家的简单生平故事或趣事，艺术创作的背景等。初步的美术欣赏技能和习惯，包括对作品的仔细观察和探究；用语言大胆描述自己对欣赏对象的第一印象，对作品要素的识别和分析，对作品主题和意义的猜测和初步理解，关于作品的想象和联想等；用口头语言、身体语言及不同的艺术形式（如故事、戏剧、舞蹈、绘画、泥塑、粘贴等）表达自己对欣赏对象的感受和认识等。

四、幼儿园美术教育的方法

（一）以语言传递信息为主的方法

以语言传递信息为主的教学方法是指教师以语言向幼儿传递信息和指导幼儿学习美术的教学方法。在幼儿园美术教育活动中，语言是教师与幼儿之间进行信息、情感交流的主要媒介，是幼儿园美术教育活动中必须采取的教学方法，主要包括讲授法、谈话法、讨论法。

1. 讲授法

讲授法是指教师通过语言描述、说明和解释，向幼儿传递信息，从而使幼儿获得美术知识与技能的教学方法,具体包括讲述、讲解等教学方式。

①讲述是指教师向幼儿描述学习的对象,如在欣赏修拉的作品《大碗岛星期天的下午》时,教师向幼儿介绍画家创作此画的小故事等。

②讲解是对某个概念或原理进行分析和解释。例如,讲解吹画的步骤,向幼儿介绍水粉画中排笔的运用,解释欣赏作品中关于对称、节奏、变化等形式美的原理。

2. 谈话法

谈话法是指教师根据幼儿已有的知识经验,向幼儿提出问题并要求幼儿回答,或是幼儿提出问题要求教师解答,并通过解答使幼儿获得新知识、提升经验的教学方法。

谈话法的运用可以提高幼儿的注意力、启迪幼儿思维、活跃幼儿的思路。教师运用谈话法的基本要求如下。第一,教师在提问前要有计划性,要注意避免提问的随意性。问题要明确、清楚、具体、有启发性,要能引起幼儿的积极思考。因此,教师要多提开放性问题,少提封闭性问题。例如,在欣赏梵·高的《星月夜》时,教师可设计"画面上画了些什么?""画家画的是一天中的什么时候?"等问题。这些问题有助于启发幼儿边看边思考,提高其分析、评价作品的能力。第二,教师要注意提问的艺术性。教师所提的问题要符合幼儿的理解能力,简单明确,同时要给幼儿一定的思考时间,多提一些引导性的、启发性的问题,以启发幼儿思考,形成自己的想法。第三,教师应鼓励幼儿发问。对于幼儿的发问,教师知之为知之,不知为不知,对于回答不了的问题,可以让其他幼儿来回答,同时教师要去寻找答案并给予回答,绝不能随意回答,避免使幼儿形成错误的理解。

3. 讨论法

讨论法是指幼儿在教师的指导下,为认识、解决、探究某个问题而进行讨论,通过讨论获得知识的方法。由于讨论需要幼儿对某个问题进行认识、探索,甚至是发现规律,而低龄幼儿生活经验较为缺乏,语言表达还不够流畅,分析和概括的能力较差,思维的方式是以具体形象性思维为主,还不能进行以语言为中介的抽象逻辑性思维,因此该方法适用于大班幼儿。

运用语言的方法进行指导时,需注意讲授内容要具有科学性、艺术性和教育性。科学性是指对相关的美术概念、原理等的解释要准确。艺术性是指教师运用艺术性的语言来激发幼儿进行美术活动的兴趣。教育性是指讲授的内容要有益于幼儿的身心发展,避免给幼儿带来负面影响。

(二)以直接感知为主的方法

美术的特点是直观形象性,主要依靠视觉来进行感知。以直观形象传递信息为主的教学方法,最能体现美术学科的特点,是幼儿园美术教育活动中经常采用的教学方法。这类方法包括演示法和观察法。

1. 演示法

演示法是教师在传递信息的过程中,向幼儿展示直观教具、示范绘画、制作等过程,从而使幼儿获得对事物现象的感性认识的一种教学方式。演示用的教学媒体有实物、标本、挂图、投影、录像等。

2. 观察法

启发幼儿观察物体的形状、颜色、结构以及事物间的空间位置、相互关系等,获得对事物的感性认识,是幼儿园美术教育活动的最基本方法。观察法可以分为直接观察和间接观察。

直接观察是教师为了使幼儿获得对周围生活的丰富印象,借助与事物的直接接触来观察事物的方法。直接观察有助于幼儿更深层次地发掘、认识事物,从而打破幼儿的概念画法。间接观察是对于那些因条件限制而无法直接接触的事物所进行的观察。间接观察包括标本式观察和图片式观察。

运用以直接感知为主的方法进行指导时应注意以下几个方面。

第一,演示的准备工作要充分。演示用的教具应在教育活动前准备齐全,摆放在便于使用的位置。教学用的录像、幻灯片、多媒体资料等,活动前要试放,避免正式放映时出现差错。

第二,演示要选择恰当的时机。演示的时机要恰当,最好是在幼儿集中注意力的时候,如果教具出示过早,幼儿会不自觉地去看教具、挂图,分散注意力,教师讲解的内容易于被忽视。相反,教具出示过迟,也会降低效果。一般来说,演示法可在下列情况下运用:教学内容具有一定难度,单纯用语言讲解不能使幼儿充分理解和掌握时;幼儿对创作主题不够熟悉时;教学刚开始,需要使幼儿对物象有总体的印象时。

第三,演示要和讲解有机地结合。在演示过程中,教师要把演示的内容与观察、讲解有机地结合起来。讲解的语言应力求通俗易懂、简洁生动、富有启发性,能被幼儿所理解和接受。这样,通过视觉和听觉两种途径获得的信息能使幼儿更好地把握物象的特征和结构。

(三)以指导练习为主的方法

幼儿要获得美术知识与技能,必须反复多次地练习和操作。练习法就是幼儿在教师指导下,进行各种形式的绘画、制作等练习,从而熟练掌握各种美术知识与技能。练习法可以分为模仿练习和创作练习。模仿练习是根据范例或教师的演示进行的练习。例如,幼儿根据教师折纸的分步示范,进行折纸练习,就是一种模仿练习。创作练习,是让幼儿对已有的表象、材料进行加工、改造、制作,独自进行构思并加以表现。创作练习的目的是加深幼儿对美术的理解和提高他们的美术表现能力。

(四)以欣赏活动为主的方法

以欣赏活动为主的方法是让幼儿通过对美术作品、自然景物、社会生活中的美好事物的欣赏,获得美的感受,提高表现能力、审美能力的教学方法。例如,要求幼儿表现"美丽的花园",在活动之前,教师可以组织幼儿观察花园中的各种花,在此基础上,再让幼儿欣赏有关花、花园的作品,比较画家笔下不同的花园景象。

运用以欣赏活动为主的方法进行指导时应注意以下几个方面。

第一,尊重幼儿对美术作品的感受与反映。每个人的经历不同,对美术作品的感受也不同,对作品喜欢与否,喜欢的程度也不同。幼儿由于经验、认识能力有限,有些看法也许是非常幼稚的,但教师都应给予尊重和鼓励。

第二,鼓励幼儿用各种方式大胆地表达自己的感受。幼儿表达的过程是一个体验的过程,也是一个进一步感受和理解美术作品的过程。

第三,增强幼儿在欣赏活动中的情绪体验。欣赏过程本身是一种感情的投入。移情是幼儿情感发展中的一个很重要的特点。他们常常把自己的想法和情感赋予有生命或无生命的物体上,这为他们的欣赏提供了情感基础。

五、幼儿园美术教育的途径

一般来说,幼儿园美术教育活动可通过正规的美术教育活动和非正规的美术教育活动来进行。

(一)正规的美术教育活动

正规的美术教育活动,可以通过幼儿园课程中与美术直接有关的学科或领域进行,也可以通过课程设置中的其他学科或领域进行。

幼儿园美术学科或领域的教育根据教育内容的不同,可以分为绘画教育、手工教育、美术欣赏教育。但是,在美术学科或领域的教育活动中,这些内容往往是综合在一起的,活动可以围绕某一具体的艺术作品而展开,也可以围绕某一专门的美术技能或美术知识而展开,还可以围绕着某个特定的主题展开。活动可以以集体教学的形式来组织,也可以以小组合作的形式来进行,还可以以幼儿自发的探索为主。

其各学科或领域中的美术活动,是指渗透在幼儿园的语言、科学、社会、健康等学科或领域中的美术活动。

(二)非正规的美术教育活动

幼儿园中的非正规的美术教育,主要是通过幼儿在活动区的自由活动、幼儿园美术环境的创设,以及教师对幼儿随机进行的集体或个体的美术指导等方式进行。幼儿园非正规的美术教育活动通常有如下几种。

1. 幼儿园环境布置活动

环境创设的目的是引发和支持幼儿与周围环境的互动,因此幼儿是环境创设中不可缺少的参与者。幼儿参与幼儿园环境的规划和设计,可使他们对所属的环境做出最好的探究和了解,也有利于幼儿主动、自发地参与活动。幼儿的参与,不仅仅是作品的展出,教师应有目的、有计划地遵循幼儿的年龄特点来组织幼儿参与设计收集和准备材料、布置和管理等活动,并不断发挥幼儿在环境创设中的主体作用。幼儿参与环境的设计和布置,可从活动区、彩绘墙饰、种植饲养等方面着手。例如,在布置教室环境时,教师可通过相关主题活动,如儿童节、圣诞节、教师节等,与幼儿一起布置。

2. 美术角和美术室活动

美术角是幼儿园区角活动中常见的一种形式。美术角的开设,主要是为了满足那些对美术有兴趣的幼儿的需要。美术角材料的投放要多样化,以满足不同幼儿的需要。所需材料可发动幼儿、家长、教师共同来收集,并分门别类地摆放,便于幼儿拿取。美术角活动内容应根据各年龄班的基本美术教育活动的目标和内容定期更新。美术室的设置要根据幼儿园的实际条件而定,可以是专门的活动室,如泥工活动室、绘画活动室,也可以是综合的活动室,如把美术室划分为绘画区、手工区和欣赏区。美术室的开放需要全园统筹安排,并由教师进行指导。

3. 随机的美术指导

随机的美术指导是指教师对幼儿在自由活动时间内所从事的美术活动的指导。日常生活中,教师可抓住每一个机会对幼儿进行随机的美术教育。例如,午餐后带幼儿在园内散步,和幼儿谈论一年四季景色的变化,随机欣赏幼儿带来的新玩具,穿着的漂亮衣服,以及教师的服装、丝巾等。

探究活动

1. 自选一种传统民间体育游戏,设计一个教育活动。
2. 自选一本中国原创图画书,设计一个教育活动。
3. 结合地方文化特色,以"家乡美"为主题,设计一个教育活动。
4. 以"好玩的皮影""神奇的造纸术""七巧板变形记"等为主题,设计一个教育活动。
5. 以"剪窗花""京剧脸谱"等为主题,设计一个教育活动。

案例评析

案例一　认识西红柿
小班

一、活动目标

(1) 幼儿能运用多种感官——按照由外到内的顺序观察感知西红柿的主要特征。

(2) 幼儿能运用简单的句型(如西红柿摸上去软软的),大胆讲述自己在观察中的发现。

(3) 幼儿通过触摸游戏、亲自切西红柿,体验并享受科学探索活动所带来的乐趣。

二、活动准备

(1) 每人一个西红柿(擦干)、一个盘子、一把蛋糕刀、四个空的盒子。

(2) 手、眼、嘴三种感官的图谱、西红柿PPT。

三、活动过程

1. 运用多种感官感知西红柿的外部特征

(1) 感知西红柿的外部特征。

①幼儿自由触摸、表达交流。

②教师引导幼儿触摸、表达交流。(教师引导幼儿从软硬、光滑与粗糙方面进行判断与表达。如西红柿摸上去软软的,西红柿摸上去滑滑的。)

③小结:用手摸西红柿外面是软软的、滑滑的。

(2)引导幼儿通过视觉观察从颜色、形状等方面进一步感知西红柿的外部特征。

①幼儿自由观察,与同伴交流。

②教师引导幼儿观察、表达交流。(教师引导幼儿从颜色、形状等方面来观察与表达交流。如红红的西红柿、圆圆的西红柿。)

③小结:用眼睛看西红柿是红色的、圆形的,还有一个绿把子。

(3)教师引导幼儿看图总结西红柿的外部特征。

①西红柿摸上去软软的,西红柿摸上去滑滑的。

②西红柿是红色的、圆形的,还有一个绿把子。

2. 认识西红柿的内部特征

(1)幼儿亲自切西红柿,自由地探索,用语言表达和交流西红柿的内部构造与特征。

①西红柿里面也是红红的。

②西红柿里面有果肉,有水,还有籽。

(2)教师展示PPT,引导幼儿观察西红柿内部构造与特征。(一个西红柿竖着切开,另外一个西红柿横着切开。)

(3)小结:西红柿里面有红红的肉,好多汁水,还有籽。

3. 品尝西红柿,感知西红柿的味道

①教师拿出事先切好的西红柿小块,让幼儿品尝西红柿。

②说说西红柿是什么味道。西红柿吃起来酸酸甜甜的。

4. 讨论交流

西红柿除了生吃,还可以怎么吃?

①妈妈用西红柿炒鸡蛋。

②西红柿还可以凉拌吃、做汤吃。

③小结:西红柿吃起来酸酸甜甜的,里面含有丰富的营养,对我们的身体有益,所以,幼儿要多吃西红柿,多吃水果蔬菜,这样身体才更健康,不可以挑食哦!

四、延伸活动

幼儿和教师一起把刚才切开的西红柿送厨房烹饪出美味的菜肴。

五、活动评析

本活动是小班幼儿对物体的观察活动,西红柿的色泽鲜艳,味道甜美,适合幼儿进行观察。活动的主要目的是让小班幼儿通过观察活动认识西红柿。由于小班幼儿年龄小,观察能力较差,容易受兴趣和环境等因素的影响,因此必须在教师的帮助下有顺序地对西红柿进行观察。活动过程的设计是按照由外到内的顺序观察,让幼儿运用多种感官感知西红柿的主要特征。幼儿在用眼睛看、小手摸、嘴巴尝等体验中认识西红柿,知道西红柿可以有多种吃法。通过活动,幼儿享受到科学探究活动所带来的乐趣,丰富了幼儿的生活经验。

案例二 核酸检测我不怕
中班

一、活动缘起

因为新冠肺炎疫情防控的需要,我园幼儿开始分批次进行核酸检测。大多数幼儿第一次参加核酸检测,一听到消息,天天就大叫起来:"啊?我上次在医院做过核酸检测,医生用棉签伸进我的喉咙里抠呀抠,我都快吐了!"听到天天这么说,嘟嘟有点害怕了,紧张地说:"我不要做核酸检测,我不要!我不要!"两名幼儿之间的对话,明显地引起了其他幼儿的恐慌,大家纷纷表示不想参加核酸检测。

面对核酸检测时不舒服的感觉,我们成人也需要调整好心态,核酸检测采样的方式确实容易引发幼儿恐惧的心理。面对未知的事情,恐惧是一种正常的情绪反应,也是每个人在成长的过程中都会有的情绪反应,如果这种情绪反应能被及时关注,并给予温柔的回应,那么幼儿就会有强大的力量战胜内心的恐惧。因此,基于幼儿的立场,我们有意识地组织本次活动,通过关注幼儿的情绪,倾听幼儿的心声,和幼儿共同分析恐惧产生的原因,以同伴互助的方式,帮助幼儿克服对核酸检测的恐惧,逐步形成自信、自强的心理状态。

二、活动目标

(1)了解核酸检测,会尝试用不同的方法缓解核酸检测带来的紧张、害怕、恐惧的心理。

(2)接纳自己的情绪,能大胆表达自己对核酸检测的态度。

三、活动准备

(1)经验准备:幼儿已了解如何防控新冠肺炎疫情,部分幼儿有做核酸检测的经历。

(2)材料准备:核酸筛查现场图片、视频1(核酸检测的流程)、视频2(大班幼儿核酸检测过程的采访)、"√ ×"核酸检测意愿牌等。

(3)环境创设:创设医院场景。

四、活动过程

1. 谈话导入,引发幼儿参与活动兴趣

师:今天老师带来了一张图片,我们来看看图上都有谁,正在进行一件什么事情?

引导幼儿观察画面,大胆表述自己的发现。

该环节通过图片唤起幼儿对新冠肺炎疫情防控的回忆,引发幼儿对核酸检测的关注。

2. 幼儿第一次站队,教师接纳幼儿的情绪,帮助幼儿初步缓解由即将进行核酸检测引发的紧张、害怕、恐惧的心理

(1)引导幼儿了解核酸检测的重要性。

①出示"√ ×"核酸检测意愿牌,引导幼儿自由选择站队。

师:你们愿意接受核酸检测吗?如果愿意请把椅子搬到"√"的意愿牌前,如果不愿意请把椅子搬到"×"的意愿牌前。

幼儿根据自己意愿,自由选择站队。

在唤起幼儿对核酸检测的关注后,教师直接出示核酸检测意愿牌,引导幼儿自由选择站队。活动当天,一共有25名幼儿参加,其中15名幼儿愿意接受核酸检测,10名幼儿不愿意接受核酸检测。

②幼儿自由表达关于核酸检测的观点。

师:谁愿意跟大家说说自己的理由?

幼儿自由表达观点。有的觉得只要忍一下就好;有的表示有点可怕,还是不要做核酸检测。

(2)引导幼儿讨论做核酸检测的重要性。

师:你们知道为什么要做核酸检测吗?

幼儿两两交流。

播放课件,支持幼儿深入了解核酸检测的重要性。

师:在机场、医院、学校、小区等场所,大家都在排队进行核酸检测。通过核酸检测可以准确判断我们的身体里是否存在新型冠状病毒,是控制疫情的好方法,所以核酸检测很重要,这样才能保护自己和他人的安全。

(3)引导幼儿了解核酸检测的方法。

①鼓励幼儿大胆交流自己了解到的核酸检测的方法。

师:原来核酸检测这么重要,那它是怎么进行的?

②播放视频1,引导幼儿了解核酸检测的过程。

师:核酸检测到底是怎么进行的,我们一起来看看。(播放视频1)

师幼自由交流。

师:(小结)原来核酸检测时需要我们抬头,张大嘴巴,医生会用棉签轻轻地给我们进行咽拭子采样,2秒钟就能做好。每个人进行核酸检测时的感觉都不一样,有些人没什么特别的感觉,有些人会觉得喉咙痒痒的,有点想吐,不过这种感觉一会儿就好了。

大部分幼儿不愿意接受核酸检测,主要原因在于他们不了解核酸检测。该环节通过引导幼儿了解核酸检测的重要性和核酸检测的具体过程,帮助幼儿初步缓解因对核酸检测陌生而产生的恐惧心理。

3. 幼儿第二次站队,教师引导幼儿尝试用不同的方法缓解核酸检测带来的恐惧心理

(1)了解核酸检测的重要性和过程后,幼儿再次选择是否愿意接受核酸检测。

师:知道了这么多关于核酸检测的小知识,如果马上安排我们班的小朋友进行核酸检测,你们愿意吗?

通过上一环节引导后,幼儿开始第二次站队,愿意的幼儿增加到20名,不愿意的幼儿只剩下5名。

(2)幼儿站队表达自己的观点,教师组织分享选择站队的原因。

师:你为什么改变主意了?

幼:核酸检测只是很痒,可以接受。

幼:因为2秒钟就可以搞定。

师:你还担心什么?

幼:担心会被棉签捅破喉咙。

幼:我看到医生就害怕。

(3)观看大班幼儿进行核酸检测的视频,学习缓解由核酸检测带来的恐惧心理的方法。

师:昨天大班的哥哥姐姐进行了核酸检测,我们来看看视频,他们是怎么做的。(播放视频2)

幼儿观看视频2中大班幼儿接受核酸检测的情况并自由交流。

(4)集中分享交流视频内容。

师:视频中大班的哥哥姐姐做核酸检测时是什么感觉?

幼:有的说觉得就像在吃棉花糖。

幼:有的说有点害怕,但他会想一个好方法让自己不害怕。

师:是的。有的哥哥姐姐觉得核酸检测就像在吃棉花糖,有的哥哥在做核酸检测的时候用手遮住眼睛,用转移注意力的方法顺利地完成核酸检测,最后还对医生说"谢谢",真温暖!

结合观看大班幼儿进行核酸检测的真实过程,教师从积极的情绪、勇敢的表现、顺利完成核酸检测的方法以及向医护人员表示感谢等角度,构建出隐形的榜样示范,为幼儿树立模仿学习的典范,使幼儿勇于接受挑战,实现内心的自我成长。

(5)幼儿相互交流讨论缓解紧张、害怕情绪的方法,教师观察指导。

师:除了哥哥姐姐采用的方法,还有什么方法可以让我们感到不那么害怕?

幼:当我们感到害怕时,可以在心里为自己加加油。

幼:我觉得,核酸检测就像医生在我们的喉咙里画爱心桃。

活动中教师有针对性地引导个别幼儿接纳自己的情绪,寻找让自己不害怕的方法。

师幼集中分享缓解紧张、害怕情绪的方法。

该环节通过分享个别幼儿改变主意的原因、了解"不愿意组"幼儿的担忧以及"愿意组"幼儿的建议后,组织幼儿观看视频,让幼儿感受大班幼儿的榜样力量。教师通过引导幼儿迁移已有经验,共同梳理缓解紧张、害怕情绪的方法后,帮助他们掌握更多情绪管理技能,丰富幼儿已有的情绪调节的方法。

4. 幼儿第三次站队,准备接受核酸检测

(1)幼儿再次进行站队选择。

师:今天大家不但了解了核酸检测,还分享交流了许多缓解紧张、害怕情绪的好方法,现在,你们愿意参加核酸检测吗?

幼儿最后站队,准备接受核酸检测。

最后不愿意的幼儿只剩下两名。看着不愿意的队伍在慢慢地变短,幼儿心中的恐惧也逐渐散去。

(2)集中分享,梳理小结。

师:看起来我们都是防疫小勇士,这么多小朋友都已经做好了核酸检测的准备,那我们就先去进行核酸检测,还没准备好的也没有关系,你们可以继续了解核酸检测,还可以看看其他小朋友是怎么做核酸检测的。

通过多轮的站队选择、层层递进的方式,帮助幼儿缓解紧张、害怕、恐惧的心理,使他们从不愿意接受核酸检测,到逐渐接受,在这个过程中幼儿的心理获得健康发展。同时,对于个别还未做好心理准备的幼儿,教师的接纳也让他们感受到选择没有对和错,深刻了解了恐惧是一种正常的情绪反应。

5. 引导幼儿通过角色扮演,获得情感体验,逐步消除恐惧感

师:在我们的活动室里还布置了医院的场景,小朋友们可以去试一试,帮我们班的幼儿进行核酸检测。

该环节重点鼓励未做好心理准备的幼儿,和同伴共同游戏,进一步了解核酸检测的过程,从同伴那儿再次了解做核酸检测的感受,从而逐步缓解恐惧感。

五、活动延伸

生活活动:幼儿进行核酸检测时,教师应关注有情绪变化的幼儿,及时帮助幼儿放松心情,缓解恐惧心理,使幼儿顺利接受核酸检测。

游戏活动:开展游戏"小小核酸检测员",引导幼儿通过角色扮演逐步消除恐惧感。

六、专家点评

在新冠肺炎疫情的冲击下,核酸检测已经成为全民性参与的防疫活动。在成人看来,核酸检测是一道重要的疫情防线,这种认知几乎掩盖了核酸检测带来的不适感,但对于幼儿来说,短短几秒的核酸检测体验带来的不仅是身体的不适感,更是难以消除的紧张与恐惧。该教师能够敏锐地捕捉幼儿在核酸检测现场的实际表现与心理需求,以此生成集体教学活动"核酸检测我不怕",通过情感共鸣、自主站队、游戏体验等方式逐渐引导幼儿消除对核酸检测的畏惧心理,真正体现了活动源于幼儿生活,又回归幼儿生活的教育理念。该活动为我们提供了以下几点可参考的教学策略。

1. 尊重幼儿的真实感受,充分给予幼儿自我接纳与心理调适的时间

面对核酸检测,不同幼儿有着各自的感受,在活动中,当被问及"你为什么不愿意核酸检测"时,很大一部分幼儿表现出了紧张、焦虑和害怕等情绪,面对幼儿对核酸检测存在的畏缩性情绪,教师并没有刻意回避或用强制性语言回应,如"不会吧,平时你都是很勇敢的""这有什么可怕的""没事的,你看大家都不害怕",而是站在幼儿的立场,鼓励幼儿大胆地表达面对核酸检测的心情与产生这种心情的原因,让幼儿真正感受到被尊重、被理解、被共情,匿藏已久的负面情绪也得到了一定程度的宣泄与排解。

另外,教师洞察到幼儿的紧张情绪之后,并没有急于引导幼儿如何战胜害怕、直面核酸检测,而是通过一次又一次的站队选择、信息拓展、思考表达,让幼儿有充足的时间去接纳、改变自己的想法,让幼儿的心理能够得到自然的调试。

2. 巧妙构思活动环节,多形式支持幼儿从内心接纳核酸检测

活动过程中,教师以三次"自主站队"贯穿活动始终,每次站队之后,教师并不是随意地进行提问与互动,而是基于幼儿害怕的原因,有针对地引导幼儿认识核酸检测,学习克服恐惧的方法。如在第一次站队选择后,教师播放了机场、医院、学校与小区内人们排队进行核酸检测的照片与核酸检测宣传视频,引导幼儿认识核酸检测的重要性,同时直观感受什么是核酸检测及核酸取样的步骤;在第二次站队选择后,教师播放了大班幼儿在幼儿园核酸检测的视频,同时引导幼儿回顾自己的生活经验,学习缓解恐惧心理的方法,如自我鼓励、同伴陪伴等;在第三次站队选择后,教师引导

幼儿进行角色扮演游戏,继续熟悉核酸检测的过程,不断形成积极的情感态度。总之,教师通过循序渐进的活动环节,支持幼儿逐渐敞开心扉,并真正获得了直面核酸检测的内心动力。

3. 借助榜样力量,以他人经验影响幼儿对核酸检测的态度

同伴间经验的交流与共享是集体教学活动的价值之一。通过聚焦式的提问、讨论与表达,幼儿能够直接高效地获取多维度的信息与经验,最终建构了自己新的认知。活动中,教师虽然需要解决"不愿意做核酸检测"这一方阵中幼儿对核酸检测的片面认识及对核酸检测恐惧的问题,但也没有忽视"愿意做核酸"这一方阵中的幼儿,反而积极请愿意做核酸的幼儿大胆分享自己的核酸检测经验,以鼓励不愿意做核酸检测的同伴。幼儿园中大班的幼儿同样是学习的榜样,通过观看视频,幼儿看到了哥哥姐姐的勇敢、乐观与感恩,这些都会影响着幼儿对核酸检测的态度,并激励着他们变得更加坚强。

案例三 神奇的七巧板
大班

一、活动目标

(1)了解七巧板是中国传统的益智玩具,感受玩七巧板的乐趣。

(2)观察图形的组成并大胆想象,尝试拼摆各种不同的图案。

(3)感受玩七巧板的乐趣。

二、活动重难点

重点:观察图形的组成,尝试拼摆各种不同的图案。

难点:激发幼儿的想象,尝试大胆创造。

三、活动准备

自制PPT,七巧板大图形一套,印有七巧板图形的纸(与幼儿人数一致)。

四、活动过程

(一)出示七巧板,使幼儿萌发探究的兴趣

(1)师:今天老师带来了一个玩具,哪个小朋友知道它的名字?（七巧板）

(2)师:你知道人们为什么叫它七巧板吗?

①教师引导幼儿发现一共有7块板,7种颜色。

②玩找一找的游戏,请幼儿找出不属于七巧板的图形。

(3)师:你想知道七巧板的来历吗?让我们来听听七巧板是怎么说的吧!

(二)七巧板的来历

(1)教师以七巧板的口吻介绍:小朋友们好!我叫七巧板,别小看我哦!我已经有2000多岁了呢。在宋朝的时候,有个叫黄伯思的人对几何图形很有研究。他热情好客,发明了一种由6张桌子组成的"宴几"(请客吃饭的小桌子)。后来,有人把它改进为由7张桌子组成的"宴几",可以根据客人人数的多少灵活拼凑桌子。再后来有人把"宴几"缩小成只有七块板的木板,用它拼图,慢慢地演变成了一种玩具,叫作"七巧板"。因为拼图能够开发儿童的智力,所以我被许多国家选为儿童智力开发的必选玩具。我已成为一个中华民族智慧的代表啦!

(2)教师小结:原来,七巧板并不是爸爸妈妈小时候才有的玩具,在宋朝就已经有了,中国人真

是聪明呀!

(三)玩七巧板拼图

1.出示七巧板图形

(1)师:这是什么图形呢?

(2)师:仔细观察这个图形?你会发现什么?

(3)依次出示图形,引导幼儿观察。

(4)师:这些都是由七巧板变出来的哦!神奇的七巧板还能变出什么图案呢?请小朋友想一想?

2.幼儿玩七巧板拼图,教师巡回指导

3.欣赏幼儿拼出来的图案

师:现在我们来看一看小朋友们拼出了什么吧!你能看出来吗?

案例四　快乐的小螃蟹
大班

一、活动目标

(1)尝试练习侧步行走,发展动作的协调性及快速反应能力。

(2)能合作摆放器械,积极、主动参与游乐场游戏。

二、活动重难点

掌握侧步行走的动作技巧,并能积极动脑,与同伴合作摆放器械。

三、活动准备

(1)经验准备:幼儿已会玩游乐场的部分游戏,有使用所提供材料的经验。

(2)材料准备:球、筐、垫子、沙包、背篓、"尾巴"。

四、活动过程

(一)游戏导入

(1)韵律活动"奔奔之歌"。

(2)分组玩钻山洞游戏。

师:我们去游乐场玩好吗? 来,我们一起说:"你开心、我开心,游乐场里最开心,耶!"

师:请大家分成三组来玩"钻山洞"游戏。

幼儿分成三组进行游戏"钻山洞"。

(二)通过玩游戏尝试练习侧步行走

1.幼儿听信号快速反应走

师:我们再来玩一个"1、2、3"怎么样? 看谁的反应快,"1"怎样? "2"怎样? "3"怎样呢?

幼儿正面向教师进行游戏。

2.幼儿模仿小动物听信号快速反应走

师:我们换一个方法来玩这个游戏好吗? 刚才是小朋友在玩游戏,我们还可以请谁来玩游戏? 你们说怎么玩? (学小动物走)你们说学什么小动物?

①幼儿提议,模仿游戏一次。

②幼儿自选小动物模仿游戏一次。

3. 幼儿练习"侧步行走"

师:请一个小朋友示范一下刚才你是学什么动物的?

①请模仿"螃蟹侧行"的幼儿示范一下动作,其他幼儿观察。

②请大家尝试"螃蟹侧行"的动作,体验动作。

③请大家谈"侧步行走"的动作要领。

④幼儿再次尝试"侧步行走"的动作,再次体验动作。

⑤教师带领幼儿模仿"大、小螃蟹"练习动作。

⑥集体游戏"螃蟹1、2、3"游戏。

4. 分组游戏:螃蟹运粮、夹球进筐、捉尾巴、抛球进筐

师:游乐场里还有一些好玩的玩具,我们一起去玩好吗?

①介绍新游戏"螃蟹运粮":每次螃蟹的大夹子运一个粮食。

②幼儿布置游戏场地。

③幼儿自由选择游戏。

(三)放松

听音乐,做放松动作。

案例五 奇妙的中草药
大班

一、设计意图

中草药是我国医学的宝贵财富,是我们健康的守护神,也是幼儿从小感受中华医药博大精深的好教材。幼儿在生活中接触过中草药,如喝过枸杞熬的粥、菊花茶、嗓子疼时喝过胖大海等;生病时,家长也经常带幼儿看中医,吃过中草药,幼儿有一定的感性经验。

二、活动目标

(1)了解中草药来源于大自然中的植物、动物和矿物具有治病、保健等作用。

(2)能说出生活中常见的中草药以及它们的作用(一两点),并知道中草药放在一起效果可能会完全不一样,所以使用方面要谨慎。

(3)进一步认识大自然是人们赖以生存的重要环境。知道中草药最早是中国人发现使用的,增强幼儿民族自豪感和认同感。

三、活动重难点

能说出生活中常见的中草药以及它们的作用,并知道中草药放在一起效果可能会完全不一样,所以使用方面要谨慎。

四、活动准备

(1)经验准备:家长与幼儿一起收集些常见的中草药实物,并知道其名称及作用。

(2)材料准备:中药成品有水剂、丸剂、膏剂、散剂等。原料有山楂、红枣、橙皮、生姜片、莲心、枸

杞子、干菊花等。

五、活动过程

1. 观看《鹿茸救母》的视频,感受鹿茸的神奇,产生对中草药的兴趣

(1)教师引出故事视频,幼儿观看并感受鹿茸的神奇作用。

(2)引导幼儿回忆《鹿茸救母》的故事。

师:故事中发生了一件什么事情?是什么治好了母亲的病?鹿茸原来是一味中草药,同样是中草药的有什么呢?

2. 运用多种感官探究操作,认识菊花、枸杞、胖大海等几种生活中常见中草药的名称、特征及来源

(1)请幼儿运用看、捏、闻、尝等方法观察中草药,引导幼儿说出中草药的名称,外形、味道等特征。

(2)相互交流自己的发现,讲述菊花、枸杞、胖大海等中草药的简单特征。

师:你发现了哪些中草药?它是什么样子的?什么味道?

3. 通过亲身体验,初步了解中草药特征

(1)教师引导:奇怪!这是什么?为什么我去拿药,医生会给我一包菊花?你知道为什么吗?(幼儿根据经验回答)

(2)让幼儿了解菊花,胖大海等常见中草药的用处。

4. 交流对中草药的认识

教师介绍神农尝百草的历史典故,幼儿分享在自然界看到的中草药和在生活中用到的中草药。

六、活动延伸

观看视频《走进大药房》,了解存药、抓药、配药、包药、熬药等情节,萌发对中医药文化的兴趣。

真题演练

1. 芳芳数积木,花花问他有几块三角形,芳芳点数:"1、2、3、4、5、6,6个三角形",花花又给他四块,问她现在有多少块三角形积木?芳芳边点数边说:"1、2、3、4、5、6、7、8、9、10,我有十块啦!"就数学领域而言,下列哪一条最贴近芳芳的最近发展区?( )

A. 认识和命名更多的几何图形

B. 默数,接着数等计数能力

C. 以一一对应的方式数10以内的物体,并说出总数

D. 通过实物操作进行10以内加减法的运算能力

2. 桌面上一边摆了三块积木,另一边摆了四块积木。教师问幼儿:"一共有几块积木?"从幼儿的下列表现来看,数学能力发展水平最高的是( )。

A. 把三块积木和四块积木放在一起,然后一个一个点数

B. 看了一眼三块积木,说出"3",暂停一下,接着数"4、5、6、7"

C. 左手伸出三根手指,右手伸出四根手指,然后掰手指数出总数

D. 幼儿先看了三块积木,后看了四块积木,暂停一下,说七块

3. 下列最能体现幼儿平衡能力发展的活动是( )。

A. 跳远　　　　B. 跑步　　　　C. 投掷　　　　D. 踩高跷

4. 下列幼儿行为表现中数概念发展最低的是( )。

A. 按数取物　　B. 按物说数　　C. 唱数　　　　D. 默数

5. 某5岁幼儿画得西瓜比人大,画得两排尖牙齿占人体比例的大部分。这表明此时幼儿画的特点是( )。

A. 感觉的强调和夸张　　　　　　B. 未掌握画面布局比例

C. 表象符号的形成　　　　　　　D. 绘画技能稚嫩

6. 一名幼儿画小朋友放风筝,将小朋友的手画得很长,几乎比身体长了三倍。这说明幼儿的绘画具有( )。

A. 形象性　　　B. 抽象性　　　C. 象征性　　　D. 夸张性

7. 教师在组织中班幼儿歌唱活动时,合理的做法是( )。

A. 要求幼儿用胸腹式联合呼吸法唱歌

B. 鼓励幼儿用最响亮的声音唱歌

C. 鼓励幼儿唱八度以上音域的歌曲

D. 要求幼儿用自然声音演唱

8. 让脸上抹有红点的幼儿站在镜子前,观察其行为表现,这个实验测试的是幼儿哪方面的发展?( )

A. 自我意识　　B. 防御意识　　C. 性别意识　　D. 道德意识

9. 幼儿说:"妈妈抱""要牛奶""外面玩"等句式,一般被称为( )。

A. 单词句　　　B. 双词句　　　C. 简单句　　　D. 复合句

10. 发展幼儿语言表达能力的关键是让他们( )。

A. 多交流多表达　　　　　　　　B. 多模仿别人说话

C. 多认字多写字　　　　　　　　D. 多背诵经典

11. 关于幼儿言语的发展顺序,正确的表述是( )。

A. 言语理解先于言语表达

B. 言语表达先于言语理解

C. 言语理解与言语表达平行发展

D. 言语理解与言语表达独立发展

12. 在幼儿绘画活动中,教师最应该强调的是( )。

A. 画面干净、美观　　　　　　　B. 画得和教师的一样

C. 按照自己的意愿大胆表达　　　D. 画得越像越好

参考答案:1-5 BDDCA　6-10 DDABA　11-12 AC

单元三 幼儿园主题活动设计与实施

■ 学习目标 ■

1. 理解幼儿园主题活动的含义和特点，感受主题活动的教育价值。
2. 掌握幼儿园主题活动设计与指导的原则和注意要点。
3. 能独立完成幼儿园主题活动设计与实施。

■ 真题导入 ■

大班的江老师出差两天，回来以后，孩子们都过来告亮亮的状，说亮亮总是搞破坏。亮亮说我不是在搞破坏，我是孙悟空，我在打妖怪。晶晶说，我不是妖怪，我是唐僧，其他孩子也说我不是妖怪，我是玉皇大帝。还有的说我也是孙悟空，我要扮演孙悟空。孩子七嘴八舌，早就忘记了告状这件事，都在讨论自己要扮演什么。

问题：

请设计谈话活动，从孙悟空的行为目的和意义开始，将幼儿的破坏性扮演行为引导成为表演性游戏行为。要求写出活动名称、目的和活动过程。

■ 基础理论 ■

项目一 幼儿园主题活动基本理论

幼儿园主题活动是一种源于活动课程理念的综合课程，其最大的特点是以幼儿的兴趣为出发点开展一系列的活动。在主题活动中，幼儿自主参与、自主学习、自由表达，获得了自身的发展，积累了有意义的整体经验。

一、幼儿园主题活动的含义

《纲要》指出，教育活动内容的组织应充分考虑幼儿的学习特点和认知规律，各领域的内容要有机联系，相互渗透，注重综合性、趣味性、活动性，寓教育于生活、游戏之中。幼儿园教育活动的综合化、整合性是幼儿园课程改革和发展的必然趋势。主题活动就是适应幼儿整体学习特点的一种课程形式,也是幼儿园课程综合化的具体体现。

幼儿园主题活动是指在教师适时适度的引导和支持下,在一定的时间里,组织幼儿围绕一个中心内容(主题),进行自主观察、探索周围现象和事物的教育教学活动。

主题活动不仅可以安排在集体教学活动中进行,也可以结合区域活动、一日生活的各个环节进行安排。综合主题活动将健康、社会、语言、科学、艺术等方面的学习内容围绕主题有机地整合在一起,组织一系列的教育活动。在主题活动中,幼儿通过观察、主动探究、自主体验、尝试和实践活动,获得与主题有关的较为完整的经验,促进幼儿的全面发展。在目前幼儿园课程实践中,主题教育活动已经逐渐成为幼儿园教育活动的主要类型。

二、幼儿园主题活动的特点

相较于传统的分科教学,幼儿园主题活动具有以下几个特点。

1. 整合性

幼儿园的主题活动不是单一指向一个内容、一个时段,一个领域或一个环节,而是体现多领域、多内容、多形式的整合活动。它打破了学科(领域)之间的界限,在不同学科(领域)相互作用、相互结合的基础上得以产生,使幼儿在解决问题的过程中学习,从而达到促进幼儿全面发展的目的。它一方面指活动形式的整合;另一方面指不同领域教育内容的整合。

2. 开放性

幼儿园主题活动的研究对象主要源于三个方面——不同学科的交叉知识、幼儿的生活经验和综合性的社会问题,如季节、节日、食物、交通工具等与幼儿生活密切联系的话题。由于研究对象的开放性,主题活动更要灵活地安排学习时间、空间以及指导方式。时间上,一次主题活动的延续时间可长可短,可间隔零散安排,也可利用整段较长的时间;空间上,可从幼儿园延伸到家庭、社区。主题活动的材料具有丰富性与多元化特点,也体现出其鲜明的开放性。

3. 探究性

幼儿园主题活动重视培养幼儿初步的探究意识、能力和态度。探究不仅是幼儿个体的行为,更是集体的合作。幼儿的探究不仅包括对已知世界的探究,更包括对未知世界的探究。主题活动的探究是幼儿在教师的引导下,对感兴趣的主题进行主动探究和解决问题的过程。

主题活动的
内涵特点

4. 直接经验性

对幼儿来说,活动中的学习才是有意义的学习,以直接经验为基础的学习才是理解性的学习。幼儿园主题活动创设了有利于幼儿自发、主动探索的活动氛围,为幼儿的主动参与和合作提供了更多的机会与途径。幼儿园主题活动一般选择季节、节日以及幼儿的兴趣点为话题,这样的话题贴近生活,易于被幼儿所接受,而且由于贴近生活,更具有实用性,能够学以致用。当幼儿运用自己所学的知识解决生活中的问题后,学习兴趣会更浓,主动性会更强。

项目二　幼儿园主题活动设计与实施

一、幼儿园主题活动设计与指导的原则

(一) 发展性原则

发展性原则是指幼儿园主题活动要促进幼儿德、智、体、美等方面的全面和谐发展。幼儿园主题活动应遵循发展性原则,即必须准确地把握幼儿的原有基础和水平,并以此为依据,着眼于促进幼儿在身体、认知、情感、个性以及社会性等方面的全面而整体的发展。

(二) 整合性原则

整合性原则是指把幼儿园主题教育看作一个系统工程,看作一个把各种教育因素联系起来的整体性工作,看作一个构建主题活动结果的基本历程,主题活动的设计必须注重人格、情感、认知的整合,建立各种知识之间有机的联系等。

(三) 渗透性原则

渗透性原则是指在主题活动中将不同领域的内容,各种不同的学习形式与方法加以有机的融合,将其作为一个互相联系而不可分割的完整体系。首先,幼儿园主题活动是以幼儿的生活和经验为起点而构建起来的,活动内容涉及健康、语言、科学、社会、艺术等领域,将不同领域的内容以一定的主题活动的方式加以整合,使其在一个或若干个教育活动中相互渗透、补充,既符合幼儿的年龄特点、认知特点,又有利于幼儿对活动的介入和参与。其次,在主题活动的设计中要将不同的学习形式与方法加以互相渗透和有机组合,让幼儿在谈话、讨论、操作、实验、游戏、体验、表现、创造等不同的学习形式下加深对主题活动的理解和认知,进而更好地获得活动经验和学习经验。

(四) 生成性原则

生成性原则是指教师在教育教学过程中要根据各种因素的差异和变化,机智、灵活、富有创造性地组织活动。在幼儿园主题活动的发生、发展的全过程中,无论是教育环境的选择和创设,还是活动计划的制订和执行,教师都会遇到许多无法预料的情况。由于幼儿生理、心理、知识经验、认知能力等方面的差异,以及幼儿兴趣点容易转移的特点,教师要正确估计幼儿的实际水平和发展状况,随着各种因素的变化不断地调整计划,设计出多种发展的可能性,对于突发情况教师要用生成理念进行及时调整,灵活运用多种教育手段和方法,因地制宜地实施主题活动。

(五) 思想性原则

思想性原则是指寓德育于主题教育之中,根据幼儿身心发展的特点和实际情况,以主题

活动的形式开展有效的德育教育。幼儿的品德不是天生的,而是在社会道德舆论的熏陶和家庭、幼儿园道德教育的影响下,在与周围成人和同伴的日常生活交往过程中,逐渐形成和发展起来的。幼儿园的德育教育除了一日生活处处体现外,主要还是在幼儿园主题活动中进行的。贯彻思想性原则就是要通过主题中的各个活动,运用多种教育手段和方法,遵循一定的准则,对幼儿实施品德教育。

(六)实践性原则

实践性原则是指教师要以幼儿的实际活动为基点,创设各种情境,组织各项活动,使幼儿在原有的发展水平上,通过与环境相互作用的操作活动及与教师和同伴的交往活动,各方面的能力都得到训练和提高。在幼儿园的主题活动中,幼儿的身心发展都离不开实践活动。幼儿在实践活动中获得对事物的感性认识,积累到一定程度,就会从感性认识上升到理性认识。但从感性认识上升到理性认识后,认识活动并没有结束,从实践中得到的理性认识还必须作用于实践,在实践中接受检验。

(七)可操作性原则

可操作性原则是指幼儿园主题活动的设计易于教师理解,操作简单易行,便于实施。主题活动的可操作性是主题活动顺利实施的保证,也是主题活动目标达成的关键,要考虑多方面元素及各种资源的可利用性,发挥幼儿的自主探究精神,激发幼儿动手动脑。

二、幼儿园主题活动设计的注意要点

(1)主题活动内容是一个有序的系统,要让幼儿在一段时间内连续、反复、多方面地对相关主题内容进行研究。

(2)提供既符合幼儿发展的个别差异,又利于幼儿全面性发展的主题活动框架;提供既相对符合幼儿兴趣,又可以接纳不同幼儿共同学习的内容;所提供的内容,既要面向全体,又要关注个别幼儿的发展,给他们提供共同学习的机会;还要使幼儿获得多方面的发展。

(3)整合各发展领域的核心概念和核心技能,有效地在主题教育内容中使用,而在主题活动的学习中,逐步掌握这些内容。

(4)幼儿园主题活动的设计应具有具体的目标导向,提出的目标应包含对幼儿发展各方面的预期目标和假设目标,尽可能地注意幼儿的最近发展区,引导幼儿发展。

(5)在进行幼儿园主题活动设计时必须形成良性的教育活动关系,如师幼之间、幼幼之间应该形成合作的学习共同体。幼儿的发展是在与环境相互作用的过程中实现的,是在与他人相互影响的活动过程中实现的,因此,主题活动从设计到实施的整个过程都应该包含和处理好一定方式的人际互动关系。

(6)符号是主题活动中存在的中介因素,包括语言、图像、身体动作、音乐等各种不同形式。主题活动需要通过符号来帮助幼儿巩固和提升学习经验,以促进幼儿更好的发展。

(7)幼儿是天生的探究者,通过参与各种主题活动来实现对主题的认识,幼儿教育者应尽可能地为不同需要的幼儿提供轻松自在、合适的学习情境,使幼儿在情境中动手做、动嘴说、动眼看、动耳听、动脑想,不断拓展幼儿的相关经验,促使幼儿形成系统的经验。

(8)主题活动需要处理好预设和生成的关系,处理好幼儿生成的学习任务和教师预定的教学任务之间的关系。正如瑞吉欧教育工作者所认为的,他们与幼儿一起共事,是三分之一的确定,以及三分之二的不确定和新事物。"三分之一的确定"是指教师预设的活动,而"三分之二的不确定"是指儿童生成的活动。主题活动的设计应是预设活动与生成活动设计的统一。

三、幼儿园主题活动方案的设计流程

幼儿园主题活动方案设计的基本流程如下。

第一,列出主题单,也就是确定"大主题"和其包含的"小主题"。主题单的罗列要考虑课程设计活动目标、幼儿的兴趣和需要、可行性。首先,思考一个主题可以达成哪些目标,要尽可能在一个主题中包含多方面的目标;其次,考虑幼儿的兴趣和需要,选择幼儿关心的、与他们的生活实际密切相关的主题;最后,在确定主题时,教师要考虑主体材料获取的难易,是否适合本园实际,能否转化为幼儿参与的活动等问题。

主题网络是对主体结构的一种图示,体现主题内容各部分之间的相互关系,表现主题内容的紧密联系。主题网络图的呈现能够描绘主题活动的发展脉络,对主题活动的实施有概括作用。

(1)主题网络的设计依据。幼儿园主题网络的设计要考虑幼儿多方面发展的需求及主题展开的方式方法来进行。①要关注《纲要》中的五大领域,目前幼儿园主题网络主要是按照五大领域来设计的;②要关注《指南》中的具体目标,从而使主题活动目标准确而全面,更贴近幼儿本年龄段的发展水平;③要关注本班幼儿的兴趣点,使主题更贴近幼儿,提高幼儿参与活动的积极性。

(2)主题网络的设计形式。主题网络由许多与主题相关的子标题编织而成,通过一定线索层层展开,并以"网状"的形式将这种关系和联系直观形象地呈现出来,从而构成一个有机联系的整体。设计形式没有固定模式,设计内容包含预设和生成的内容,最常用的有以下三种形式。

一是,领域式设计。分析主题所涵盖的领域或学科倾向,形成具有领域倾向的主题网络图。这种形式是最常见、最容易操作的一种主题设计形式,易于实现主题的教育目标。但主题内容的综合性被打破,易产生单一学科的简单相加,缺乏整合性。

二是,树状图设计。主题活动设计中比较常见的一种形式,以事物的关联性来确定主要分支的小主题。通过对主题内容进行分析,以主要内容为主线,用生长的方式呈现,以教师预设为主,主题树中空白的地方是为幼儿生成的活动预留的空间。

三是,发散型设计。发散型主题网络是以一个总的知识点为出发点,相关联的每一个小知识点都可为一个主题进行探究。各主题间可以相互交叉、相互融合。主题网络内的知识点较多,教师要进行恰当地选择。

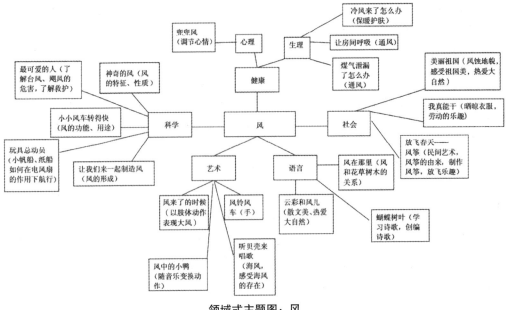

领域式主题图：风

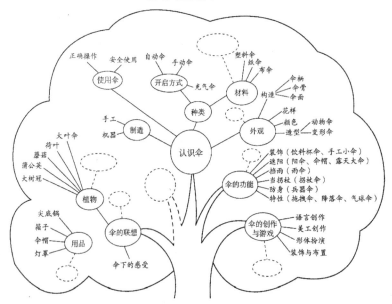

树状主题图：伞的世界

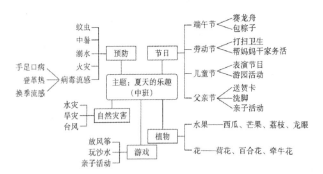

发散型主题图：夏天的乐趣

第二，拟定主题活动的具体目标和内容。要考虑组成主题的系列活动有哪些、内容是什么、涉及哪些领域等。教师在确定某一主题活动时，首先要明确在完成该主题活动时间内，各领域应完成的目标是什么；其次要列出组成主题单元的系列活动有哪些，内容是什么；最后要找出主题系列活动与各领域目标的相交点，把主题的内容融入各领域应完成的目标里，使各领域目标体现主题的共同特色。

第三，选择活动途径。运用一日生活中各种活动途径，如生活活动、游戏活动、教学活动、区域活动等来实现活动途径的整合，取得整体效应。在主题目标和内容确定后，要围绕主题选择相应的活动途径，将综合主题活动贯穿在一日生活的各个环节。

第四，设计每个具体的活动方案。也就是对一个具体活动的方案进行制订，包括活动的名称、活动目标、环境材料准备、活动流程、活动延伸、注意事项等。

第五，创设主题环境。主题创设环境，环境生成主题。主题活动中的环境创设包括主题墙和区角环境的创设。主题墙的创设是把墙面环境的创设与实施的主题活动课程有机地结合起来，从而使主题墙动起来、活起来，真正地实现主题墙与幼儿之间的良性互动。

主题墙可以帮助幼儿了解主题活动的主要内容，让幼儿对主题有个概括性的认识，有利于幼儿积极地参与，表达其对主题的理解与认识，激发幼儿探究的欲望。教师需要更新教育观念，遵循一定的原则，创设科学有效的主题环境。创设的原则和要求如下。

(1) 主体性原则。环境创设不是教师的独角戏，幼儿才是主角。幼儿园主题墙的创设必须以幼儿为主体，创设幼儿熟悉、喜爱和积极投入的环境，让幼儿感到自己是环境的主人，并能主动参与到环境的布置中去，并在参与过程中获得知识，促进幼儿认知和操作技能的发展。

(2) 效用性原则。充分利用环境发挥教育效应。任何环境的创设都必须服从主题内容和需要，不能为创设而创设，要有利于幼儿观察与交流，充分发挥环境的综合功能和内在潜能，因地制宜，充分挖掘利用已有的三维空间等条件。

(3) 动态性原则。幼儿园主题墙随着主题的生成不断变化，不可能"一劳永逸"，它会随着主题活动的深入不断发展，以丰富的画面促使幼儿快乐地学习。

(4) 艺术性原则。幼儿园环境创设要注重对幼儿的审美熏陶，主题墙的布置也要体现艺术性，在内容布局、色彩运用、背景的衬托上都要体现审美要素。让幼儿能够发现美、欣赏美，愿意创造美，进而达到环境育人的目标。

第六，反思与评价方案。教师对主题活动方案的设计实施过程和效果进行反思与评价并及时调整方案。

总体来说，主题活动设计注重内容的横向联系和方法的多样化，贴近幼儿生活。同时，符合幼儿认知整体性的特点，促使幼儿获得完整的经验。

奇妙的蛋

照蛋

四、幼儿园主题活动的主题设计

(一)主题选择的出发点

幼儿园主题活动的主题通常都极为贴近幼儿的生活,且有年龄适宜性。

1. 课程目标

课程目标的实现,需要相应的教育活动加以支持。因此,可从确定的课程目标出发,寻找相应的活动主题。如根据《纲要》提出的对周围的事物现象感兴趣,有好奇心和求知欲这一目标,选择"交通工具"主题活动。

安然
《小黄豆的秘密》

2. 幼儿的兴趣和需要

幼儿感兴趣的事物中包含了丰富的教育价值,可以作为主题活动的主题。例如,关于影子的探究。幼儿对影子并不陌生,但对影子的产生、变化和运用却没有清楚的认知。当幼儿在与影子嬉戏时,"我的影子朋友"这一主题活动便产生了。

发现影子

我的影子朋友

搭建投影仪

夏一如
《十二生肖总动员》

3. 现有的"内容"或"材料"

有些学习内容或学习材料会有规律地呈现,如"一年四季的变化""与幼儿有关的节日"等,按季节和节日这两条线索选择主题,发掘其中的教育价值,是主题活动设计通常采用的方法。

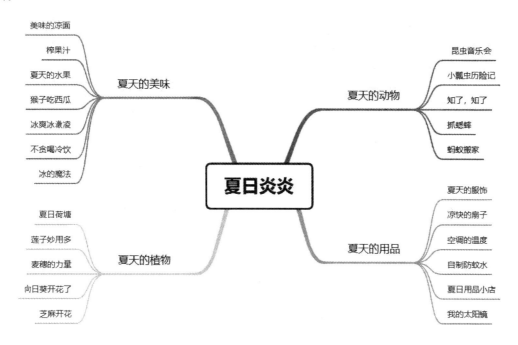

夏季主题活动网络图

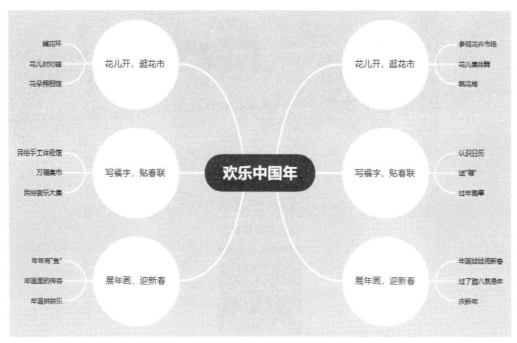

春节主题活动网络图

4. 偶发事件

在活动室、社区和自然界几乎每天都有偶然发生的事情，如蝴蝶飞进活动室、停水、停电、暴雨、彩虹、散步时发现毛毛虫等，都可作为主题。

幼儿观察蜻蜓一

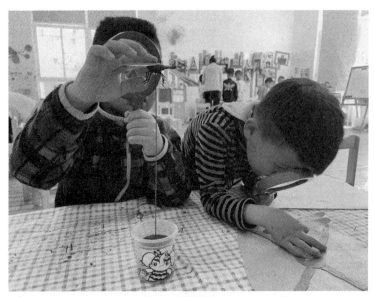

幼儿观察蜻蜓二

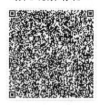

意外闯入的"陌生人"

（二）常见主题的选择

(1) 生理方面：身体的特征与功能，身体的发展与变化，身体的健康、安全与保护等。如"我长大了""我生病了""小小营养师"等。

(2) 心理方面：幼儿的兴趣、爱好、能力、情绪等。如"我的本领""我高兴，我不高兴""我的宠物"等。

(3) 幼儿的社会环境：幼儿的社会环境中可探讨的主要是幼儿的各种人际关系，随着幼儿生活圈的逐步扩大，这种关系越来越拓展为对社会机构、社会角色、不同地域的人、不同文化等更大范围的社会环境的关注。有关的主题可以有"我的家""我的幼儿园""我的朋友""超市""过年了""我是中国人"等。另外，有关衣食住行的方面也会产生许多可探讨的主题，如"城市的立交桥""别让垃圾弄脏公园"等。

(4) 幼儿的自然环境：从幼儿的自然环境中可选择的内容非常丰富，有动植物、水、沙、石等各种自然事物、季节变化、科学技术和人们的生活等。如"海底世界""动物怎样保护自己""奇妙的磁铁""珍贵的水"等。

五、幼儿园主题活动的目标设计

（一）幼儿园主题活动目标制定的依据

1. 依据社会要求和社会发展的相应变化制定目标

幼儿园教育是培养未来能积极地参与社会生活，参与社会的政治、经济、文化活动，能为社会和人类的发展做出贡献的人。因此，幼儿园教育目标不仅要适应人类社会现有的发展水平，适应我国社会主义现代化建设的发展水平和基本国情，而且必须随着社会的发展相应变化，具有前瞻性。幼儿园主题活动的目标制定要在遵循以上要求的基础上，将宏观的社会要求具体化到一个个真实的、真正促进幼儿有效发展的主题结构化的实践活动中。

2. 依据幼儿的发展需要制定目标

幼儿园主题活动目标的制定需要建立在幼儿身心发展特点和规律认知的基础上。对于主题活动而言，需要教师了解幼儿的发展规律，熟悉幼儿的发展需求，在日常生活中善于观察幼儿，理解和接纳幼儿的学习方式，认同幼儿的活动特点，关注幼儿的已有经验来制定教育目标，从而使幼儿在有效的学习中获得发展。

3. 依据幼儿独特的学习方式制定目标

幼儿的学习是渗透于生活和游戏中的自然化、多元化、愉快而有意义的过程。幼儿的学习通过他们与环境的相互作用而实现。幼儿园主题活动中的幼儿学习以感知、探究、发现等方式为主，教师制定主题活动目标，必须建立在研究幼儿学习特点、尊重幼儿学习方式的基础之上。

（二）幼儿园主题活动的总目标

主题活动总目标的设定要符合《纲要》与《指南》的精神，体现全面性、系统性和差异性。因此，要从幼儿身体动作发展、生活习惯与生活能力的形成、语言发展、社会性发展、科学探究和数学认知能力的形成、感受美、表现美、创造美等方面思考主题教育价值,并立足于本班幼儿的已有经验、兴趣、需要和幼儿的行为变化来确定主题活动的总目标。

(三)幼儿园主题活动的具体目标设计

当一个主题活动的总目标和主题学习网络图建构好之后,接下来就是对具体教育活动进行计划与设计,具体教育活动计划首先要符合学期课程目标与内容,其次要达成主题活动的总目标。具体的教育活动设计应遵循"主题为干、领域为基础"的原则,即以主题及核心目标、子目标为主线,充分整合各领域的活动资源进行设计,各领域的活动都要切实服务于主题,各领域活动之间相互渗透,促使幼儿获得全面发展。

主题活动目标按三维目标(认知目标、技能目标、情感态度目标)设定。应注意以下几点:①明确具体;②与上一层级的关系密切;③涵盖面广且具有代表性;④指导幼儿的全面发展。

情境案例

小班主题活动:亲亲爸爸

主题总目标

1. 了解自己爸爸的姓名、生日、职业和兴趣爱好。
2. 通过亲子活动与爸爸充分地进行家园互动,在亲亲爸爸的欢快气氛中感受爸爸的爱。
3. 在熟悉爸爸的基础上,初步学会用词语来描述不同状态下的爸爸,如"生气的爸爸、有趣的爸爸、好爸爸、坏爸爸"等。
4. 观察爸爸不同衣服上的扣子,学习初步的分类。
5. 体验和同伴一起合作的乐趣,并初步学习表达爱。

小班语言活动:爸爸的工具箱

具体活动目标

1. 初步理解故事内容,知道"团结力量大"的道理。
2. 体验同伴合作表演的乐趣。
3. 学习表达对爸爸的爱。

六、幼儿园主题活动方案的设计

(一)幼儿园主题活动方案的结构

(1)主题名称:列出主题名称并说明选择该主题的理由和主题开展的时间。

(2)主题设计思路(意图)。

(3)主题目标。

(4)主题准备:经验准备、材料准备。

(5) 主题网络：主题网络结构；主题网络设计角度；主题网络的预设与生成。

(6) 实施途径：通过生活活动、各领域活动、区域活动等多种途径有效开展主题活动。

(7) 创设主题环境。

(8) 家园共育。

(9) 主题系列活动：逐一设计每个活动的具体方案，包含活动名称、目标、内容、准备、方法、过程等。

(10) 活动反思。

2019年全国职业院校技能大赛（高职组）
"学前教育专业教育技能"赛项赛卷幼儿园教育活动设计

1. 序号：第08卷

2. 题目：主题活动——大班"我爱祖国"（相关素材见附件）

3. 内容

(1) 主题网络图设计（书面作答）。

(2) 教学活动设计（一课时）（书面作答）。

(3) 说课（口头作答）。

4. 基本要求

(1) 根据附件提供的素材，综合幼儿发展各领域以及幼儿园活动的类型，围绕主题设计主题网络图。主题网络图绘制要具有丰富性、科学性、具体化和操作性强等特点，充分考虑到生活化、兴趣性、适宜性、幼儿的主体性和家园合作等因素。网络图至少有三个层级（包含主题名称一级），第二、三层级至少有三个活动以上。

(2) 根据主题素材与年龄段，设计一课时（30分钟左右）集体教学活动的教案。教案格式完整规范，语言清晰、简洁、明了，目标设计、内容选择、方法运用等符合幼儿年龄特征和领域特点。

(3) 根据已设计的教案，就内容、目标、方法、过程设计等进行说课，说清楚"学什么、教什么""怎么学、怎么教"，以及"为什么"等问题，语言规范，条理清楚，逻辑性强，表达流畅。说课时间在7分钟内完成。

附件：主题活动——大班"我爱祖国"

1. 主题背景介绍

我们的中国是世界四大文明古国之一。祖国幅员辽阔，山河壮丽，气象万千，物产丰富，历史文化悠久。五千年的人文创造和天开万物造就的自然景观为我们留下了景象骄人、数量繁多的名胜古迹，创造了辉煌的文化艺术。传承和发扬优秀的历史文化是每一个教育工作者的职责。作为一名幼教工作者，应引导幼儿了解祖国的大好河山和优秀文化，从小培养幼儿热爱祖国，为自己是一名中国人而感到自豪和骄傲。

2. 主题素材

(1) 儿童诗:我们的祖国真大。

> 我们的祖国真大,
> 北方,有冬爷爷的家。
> 十月就飘雪花。
> 我们的祖国真大,
> 南方,有春姑娘的家。
> 一年四季盛开鲜花。
> 啊!伟大的祖国妈妈,
> 东西南北中的孩子们,
> 在同一个时候,
> 有的滑雪,有的游泳,
> 有的围着火炉吃西瓜。

(2) 歌曲:小小升旗手。

小小升旗手

1 = F 3/4

5 1 1	3 3 1 —	3 5 5 3	2 2 2 —
幼儿园里	歌声起,	朵朵花儿	笑眯眯,
幼儿园里	歌声起,	人人心中	甜蜜蜜,

3 5 5 5 5	2 3 4 4	2 3 4 6	5 0 2 3
双双眼睛都	望着我呀,	今天是我升	国
五星红旗她	多美丽呀,	国旗国旗我	爱

| 1 — — ‖ |
| 旗。 |
| 你。 |

(3) 歌曲:大中国。

探究活动

1. 以中国原创图画书《阿诗有块大花布》为主题设计一个主题活动。

2. 自选一个中国传统节日,设计一个主题活动。

3. 以二十节气中的某一个节气为主题,设计一个主题活动。

案例评析

案例一 我是中国娃

一、开展时间：一个月。

二、主题设计思路

本主题旨在激起幼儿萌发"我是中国小娃娃"的意识,进而埋下聪明、勇敢、勤劳意识的种子。我们从"骄傲的中国娃"小主题切入,让幼儿认识和了解中国,领略中国的秀丽山河、悠久历史、丰富物产;通过"我知道的民族娃"了解中国是个多民族的国家,要学习传统习俗与文化及中国功夫。

三、主题目标

(1) 了解中国的名胜古迹、风土人情及特色美食,激发热爱祖国的情感。

(2) 了解中国汉字、四大发明及中国功夫,激发民族精神。

(3) 乐于参与民间体育游戏,发展团结合作意识和勇敢精神。

(4) 感受民族特色的图案、花纹,尝试创造、绘画具有民族特色的物品。

四、主题准备

(1) 经验准备:幼儿对自己国家有一定的认识和经验。

(2) 材料准备:设计主题墙、创设主题区角环境;搜集相关的教具学具资料,包括名胜古迹图片、不同民族照片、歌曲、视频等相关资料。

五、主题网络

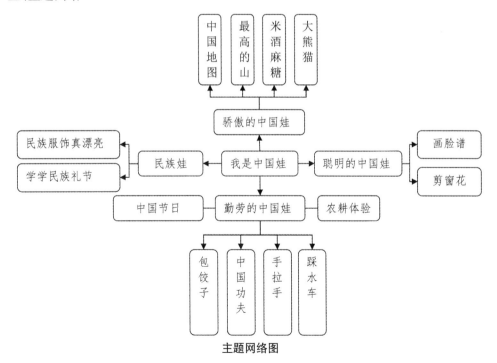

主题网络图

六、主题实施

主题实施包括设计主题墙、区域活动、日常活动、家园共育多个方面。具体实施计划如下表所示。

大班主题活动"我是中国娃"周计划表

本周工作	\multicolumn{5}{l}{1.继续开展"我是中国娃"主题活动,了解部分少数民族的风俗习惯,尊重少数民族; 2.感受全世界小朋友都是一家人。}				
区域活动	区域名称:娃娃家、表演区、建构区、美工区、益智区; 材料提供:动物服装、自制舞台道具、各种彩色纸、剪刀、各种低结构建构材料等; 观察要点:观察幼儿的专注力以及对区域活动的掌握程度及幼儿的发展水平。				

内容/时间	星期一	星期二	星期三	星期四	星期五
晨间活动	材料:篮球、牛皮筋、垒球、平衡木、跨栏。 体能目标:花样拍球、耐力跑、跨跳、平衡走。	材料:足球、垒球、呼啦圈、沙包。 体能目标:躲闪跑、带球跑、足球射门、投准。	材料:羊角球、高跷、攀爬架、滑梯、拱形门、体操垫。 体能目标:花样拍球、平衡走、攀爬、钻爬、弹跳。	材料:篮球、纸棒、梅花桩、梯子、轮胎。 体能目标:花样拍球、平衡走、攀爬、耐力、跳跃。	材料:沙包、皮筋、垒球、梅花桩、滚筒、地垫。 体能目标:投准、平衡走、耐力跑、钻爬。
主题探究活动	《聪明的阿凡提》 目标:理解故事内容,建立热爱少数民族的情感。	《包饺子》 目标:了解包饺子的过程,分步学会包饺子,分享品尝饺子,体验快乐。	《火车火车几点开》 目标:认识整点,体验祖国之大。	《我们的小手拉小手》 目标:有感情地朗诵诗歌,感受全世界小朋友都是一家人。	班级交流活动
户外自由活动	自选游戏:小解放军;考古游戏;环保小卫士;野战医院;小小建筑师。	自选游戏:洗车游戏;小小建筑师;小司机;野炊游戏。	自选游戏:自然馆游戏;玩泥巴;种植游戏;游乐场;赶小猪。	自选游戏:涂鸦迷宫游戏;户外国际象棋;碰碰车;攀岩。	班级交流活动
生活活动 自由活动	1.引导幼儿多喝水,补充水分; 2.引导幼儿正确认真洗手,能及时关掉水龙头并找到自己的毛巾擦手; 3.培养幼儿知道热时脱衣服,冷时加衣服; 4.教会幼儿随时整理场地上的物品或玩具,发现垃圾及时清理。				
分组活动	奥尔夫音乐游戏《谁的本领大》 材料:响棒、手铃、碰钟数学游戏。 《盖高楼》 材料:数学学具人手一套。	数学游戏《快乐小区》 材料:数学学具人手一套奥尔夫音乐游戏。 《娃哈哈》 材料:响棒、手铃、碰钟。	区域自主游戏 材料:空白脸部模具、颜料、毛笔、落叶、彩泥、彩纸、绉纸、花瓶、木板、瓶子、纸盒等。 观察要点:画京剧脸谱是否有创意。 材料:滑板车、滚筒、篮球、画玩具、电脑区等。	学能室活动 材料:滑板车、滚筒、篮球、画玩具、电脑区等。 区域自主游戏 材料:空白脸部模具、颜料、毛笔、落叶、彩泥、彩纸、绉纸、花瓶、木板、瓶子、纸盒等。 观察要点:画京剧脸谱是否有创意。	户外体育游戏 《猫捉老鼠》 材料:猫、老鼠胸饰若干。

内容/时间	星期一	星期二	星期三	星期四	星期五
离园自由活动					
个别教育目标					
家园共育					

七、创设主题环境

(1) 设计主题墙。

(2) 创设区角环境,包括益智区、美工区、阅读区、生活游戏区、科学区。

环境创设一

环境创设二

八、家园共育

(1)有意识地通过看电视、上网等形式,让幼儿欣赏、了解祖国的壮丽山川、丰富物产。

(2)让幼儿发现中国、探索中国、一起收集中国特色物品。

(3)请家长准备2~4个空白的立体面具,让幼儿画京剧脸谱。

(4)利用国庆节假日,带幼儿外出参加升旗仪式或游览祖国的大好河山。

九、主题系列活动

大班艺术活动:大中国

一、活动目标

(1)理解歌词,感受热爱祖国的真挚情感。

(2)体验歌曲三段体的表现方式,为开展打击乐活动奠定基础。

二、活动准备

音乐磁带或CD、打击乐器;中国地图一张;材料袋:少数民族在一起的图卡、万里长城图卡、珠穆朗玛峰图卡、青藏高原图卡;长江、黄河录像。

枇杷成熟时

三、活动过程

1. 欣赏歌曲《大中国》

师:中国是我们每一个人的家,我们每一个人都为中国感到骄傲。有一首歌曲叫《大中国》,歌里唱到的好多内容都会让我们感到自豪,我们一起来听一听。

严春琳
《炎炎大暑》

2. 找一找

师:请大家说说在歌曲中听到了中国的哪些具体位置,幼儿听到什么,教师就把图卡放在地图上相应的位置。

师:中国真的好大,你从哪儿可以听出来呢?请欣赏第二遍歌曲,引导幼儿重点理解"长城万里在云中穿梭""青藏高原比那天空还辽阔"等。

3. 摆一摆

师:这首歌曲唱的是我们的祖国,它唱到了祖国的大好河山。你知道中国哪些地方的景色很有名吗?当幼儿提到长江、黄河时可播放录像。请第三遍欣赏并根据歌中演唱的顺序将手中的图卡找出来,认一认,摆一摆,结合自己去过的地方,说说祖国大好河山的美。

4. 学唱歌曲《大中国》

师:现在让我们跟着音乐合作演唱,第一段的第一小段由女生演唱,第二段的第二小段由男生演唱;第二段大家一起唱;第三段由老师唱,小朋友唱"啊"。请说说我们唱歌时的心情。

5. 演奏歌曲《大中国》

教师当指挥。幼儿分成两大组,一组演奏三角铁,一组演奏铃鼓,并选出一位演奏钹。

教师小结:今天我们学习了《大中国》这首歌,让我们更加热爱我们的祖国,今后我们唱更多的歌来歌唱我们伟大的祖国。

案例解析

"我是中国娃"主题设计与实施,从三个方面入手:从哪里看出我是中国娃?当中国娃有什么自豪的地方?怎样做一个中国娃?主题脉络清晰,能从幼儿的角度确立主题目标,有机整合各领域目标以体验、探究的方式,开展小主题活动,关注主题环境的创建、主题区域的创建、日常生活的渗透与引导,以及家园共育目标的整合。幼儿可以通过此主题活动的开展,明确自己的社会角色,领略大中国的伟大之处,体会作为中国人的自豪感,激发幼儿的爱国情感。

案例二 走在春天里

一、开展时间:三周。

二、主题设计思路

春天在人们的期盼中又如期而至,大自然中的一切都充满了美好与神秘,嫩绿的新芽、含苞的花朵、蓬勃的小生命以及人们迎接春天的那份激动与喜悦,都深深地打动了我们。聪明、灵动的幼儿又怎会对这一切视而不见呢?大班的幼儿善于观察,善于思考,有较强的思维力和动手操作能力,对周围的事物充满了好奇,能积极地去探索和发现。春天有许多可供选择的教育内容,如挖野菜、郊游、放风筝、小蝌蚪、小蜜蜂、小蝴蝶以及人们的各种活动等,都极为贴近幼儿的生活,相信这一主题一定能使幼儿在轻松愉快的活动中进一步感受春天的美好,发现春天的秘密。

三、主题目标

(1)感知和发现春季气温、人们的劳动、生物生长的变化等,感受春天带来的生机勃勃的景象。

(2)养成观察记录的习惯,学会用简图等方式记录探索发现的过程和想象。

(3)积极参加郊游、种植活动,会用多种方式充分表达自己的经验、经历和情感,提高讲述、绘画、表演等能力。

(4)在主动参与活动中感知和体会人与自然、人与人之间的和谐关系,在活动中表现出一定的独立性,形成主动互助合作的态度和行为。

(5)会运用多种绘画工具和材料,画面布局合理。

(6)喜欢参加户外体育活动,会用多种形式充分表达自己的经验、经历和情感。提高讲述、绘画、表演等能力。

(7)用连贯优美、活泼轻松的不同叫法表现3/4拍歌曲的不同特点,体验通过探索学会歌曲的成功与快乐。

(8)继续学习用不同的标准对事物进行分类,利用春色、景物学习10以内的加减法。

四、主题准备

(1)经验准备:幼儿对春天的天气、植物等有一定的了解和认识。

(2)材料准备:布、针、橡皮泥等多种工具、材料,歌曲、图片等资料。

五、主题网络

主题网络图

六、主题实施

主题实施主要通过生活活动(户外远足等)、各领域活动、区域活动(自然角)等多种途径开展，具体活动计划如下表所示。

大班主题活动"我和春天有个约会"周计划表

第一周	第二周	第三周
找春天(综合) 柳树姑娘(歌唱) 实物填补数(数学) 挖野菜(科学) 桃树下的小白兔(故事) 春种忙(体育) 桃树(美术) 预防感冒(健康) 春天(诗歌)	种植蔬菜(综合) 春雨的色彩(散文) 测量远近(数学) 一起来种花(科学) 春天在哪里(歌曲欣赏) 画春天(美术) 春天去郊游啦(体育) 小蝌蚪找妈妈(故事) 远足(综合)	春天的花(美术) 风在哪里(散文) 做气象记录(科学) 歌唱春天(歌曲) 快乐的小屋(诗歌) 春天到(体育) 认识时钟(数学) 自制连环画(美术) 春天来到我们班(综合)

七、创设主题环境

(1)设计主题墙。

(2)创设区角环境，包括自然角、科学区。

八、家园共育

创设家长园地，向家长介绍本主题的目标、内容、配合等事项，如带幼儿踏青、挖野菜。在家中种植花卉、饲养小动物，并进行观察和管理；请家长加强对幼儿生活自理能力的培养，为野营活动做准备等。

九、主题系列活动

大班语言活动：春天的秘密

一、活动目标

(1)了解春天的特征，感受诗歌中春天的美好意境，从而萌发热爱大自然的情感。

(2)通过观察图片，能清楚、大胆地表达对春天的感受。

(3)学会用"春天来了，春天来了，春天在哪儿呢？……春天在这！春天在这！"的诗句续编诗歌。

二、活动过程

1. 谈话导入

现在是什么季节？你从哪里看到了春天？春天是什么样的呢？

2. 基本部分

(1) 请欣赏诗歌视频《春天的秘密》，并根据诗歌内容提问，丰富幼儿的词汇。

(2) 出示图片(油菜花、放风筝)，让幼儿根据图片续编诗歌。幼儿和教师一起有感情、有动作地朗诵续编诗歌(油菜花、放风筝)。

(3) 播放PPT《春天的秘密》，幼儿跟着PPT一起将诗歌完整地朗诵一次。

3. 结束部分

播放歌曲《春天在哪里》，教师带着幼儿踏着节奏翩翩起舞，并到户外去寻找春天。

三、活动延伸

请幼儿回家和家人一起去寻找春天的秘密，把拍的照片、画的画、编的诗歌带到幼儿园和大家一起分享。

附诗歌：

春天的秘密

春天来了，春天来了，春天在哪儿呢？小河里的冰溶化了，河水渐沥渐沥地流着，小声地说："春天在这！春天在这！"春天来了，春天来了，春天在哪儿呢？垂柳换上了嫩绿的新装，在微风中轻轻地飘扬，小声地说："春天在这！春天在这！"春天来了，春天来了，春天在哪儿呢？桃花红着脸，抿着小嘴，微笑着说："春天在这！春天在这！"春天来了，春天来了，春天在哪儿呢？燕子飞翔在蔚蓝的天空，叽哩哩地叫着，小声地说："春天在这！春天在这！"春天来了，春天来了，春天在哪儿呢？绿油油的麦苗，使劲地从泥土里往上钻，小声地说："春天在这！春天在这！"春天来了，春天来了，春天在哪儿呢？农民伯伯忙着播种，拖拉机轰隆轰隆地嚷："春天在这！春天在这！"哈哈！春天真的来了，春天真的来了！我看见了春天的秘密，我要把它牢牢记在心里。

案例三　秋分竖蛋
中班

一、活动目标

(1) 知道秋分这个节气，了解秋分竖鸡蛋、送秋牛、吃秋菜的习俗。

(2) 通过玩游戏，知道在秋分这一天白天和黑夜的时间是一样长的以及天气慢慢变凉快的事情。

(3) 在玩游戏的过程中，努力控制自己不让鸡蛋破碎。

二、活动准备

(1) 经验准备：父母提前与幼儿一起查阅有关秋分节气的习俗与来源。

(2) 材料准备：熟鸡蛋、牙签、卡纸、瓦楞纸、瓶盖、油泥、勺子、抽纸、雪花片。

三、活动过程

1. 导入，讨论秋分

师："有哪位小朋友知道今天是什么特殊的日子？今天是9月22日，是秋分节气。为什么会有秋分节气呢？这一天是干什么的呢？"（秋分节气在南方代表着正式进入秋天，天气在慢慢地变得凉快。现在的中秋节则是由传统的"祭月节"而来。最初"祭月节"是定在"秋分"这一天，不过由于这一天在农历八月里的日子每年不同，不一定都有圆月。而祭月无月则是大煞风景的。所以，后来就将"祭月节"由"秋分"调至中秋。）

师："我们在过年的时候会放鞭炮、吃饺子、贴春联，这是我们过年的习俗，那谁知道秋分有什么习俗呢？"（竖鸡蛋、送秋牛、吃秋菜）

2. 教师出示照片，引出游戏

师："秋分原来有这么多好玩的事情啊！老师这有一张照片，你们来猜猜看，他们在做什么。"（教师放竖鸡蛋的照片）

师："图片中的小朋友在做什么啊？鸡蛋都怎么样了呀？秋分的时候，会有很多人拿刚出生的生鸡蛋，比赛看谁能让鸡蛋站起来。你们想不想玩？那下面我们小朋友也来玩一玩这个游戏。你们可小心一点哦，不要让蛋宝宝摔到地上，它可就碎了。我们要在不破坏它壳的情况下，让它站起来。"

教师发放操作材料。每个桌子上面一个材料盒，牙签、卡纸、瓦楞纸、瓶盖、油泥、勺子、抽纸、雪花片。确保每名幼儿面前的桌子上都有充足的材料进行操作。

师："每组桌子上都有很多的材料，你都可以拿来用，一会我们再来讨论一下，都有哪些方法可以让鸡蛋站起来，看哪些小朋友找的方法最多最简单。"

3. 幼儿自由探索，教师巡回观察、引导

师："你找到方法让鸡蛋站起来了吗？用了哪些方法呢？"

4. 共同讨论幼儿的操作结果，请个别幼儿展示

师："你们让鸡蛋站起来了吗？都有哪些方法呀！"教师请个别幼儿展示，并解说。

5. 讨论竖鸡蛋的原因

师："我们小朋友都没有打破鸡蛋，并且找到了这么多让鸡蛋站起来的方法，真的很能干。刚刚我们一直在玩这个游戏，那你知道，为什么在秋分节气的时候会有竖鸡蛋这个游戏呢？一起动脑筋来想一下原因。"

先让幼儿自己讨论和猜测原因，不否定幼儿猜测的可能性，教师再补充两个原因。（一是，秋分节气就代表着正式进入秋天，不再像夏天那样炎热，天气在慢慢地变得凉快，所以人们认为这样的天气很适合把鸡蛋竖起来。二是，在秋分这一天，白天和黑夜的时间是一样长的，人们认为这样的时间也很适合把鸡蛋竖起来。）

 真题演练

2021年全国职业院校技能大赛（高职组）"学前教育专业教育技能"赛项赛卷幼儿园教育活动设计

1. 序号：第08卷
2. 题目：主题活动——中班"过春节"（相关素材见附件）

3. 内容

(1) 主题网络图设计(书面作答)。

(2) 教学活动设计(一课时)(书面作答)。

(3) 说课(口头作答)。

4. 基本要求

(1) 根据附件提供的素材,综合幼儿发展各领域以及幼儿园活动的类型,围绕主题设计主题网络图。主题网络图绘制要具有丰富性、科学性、具体化和操作性强等特点,充分考虑到生活化、兴趣性、适宜性、幼儿的主体性和家园合作等因素。网络图至少有三个层级(包含主题名称一级),第二、三层级至少有三个活动以上。

(2) 根据主题素材与年龄段,设计一课时(30分钟左右)集体教学活动的教案。教案格式完整规范,语言清晰、简洁、明了,目标设计、内容选择、方法运用等符合幼儿年龄特征和领域特点。

(3) 根据已设计的教案,就内容、目标、方法、过程设计等进行说课,说清楚"学什么、教什么""怎么学、怎么教",以及"为什么"等问题,语言规范,条理清楚,逻辑性强,表达流畅。说课时间在7分钟内完成。

附件:主题活动——中班"过春节"

1. 主题背景介绍

春节又称过年,是民间最隆重的传统节日,在历史发展中,形成了一些较为固定的风俗习惯。春节期间均以除旧布新、迎禧接福、拜神祭祖、祈求丰年为主要庆贺内容。一系列的节日庆典活动表达了人们对美好生活的向往和祝愿。春节民俗的形成与定型,是中华民族历史文化长期积淀凝聚的过程,在传承发展中承载了丰厚的历史文化内涵。不仅集中体现了中华民族的思想信仰、理想愿望、生活娱乐和文化心理。从小向幼儿传播优秀的传统文化是幼儿教师的职责所在。

2. 主题素材

(1) 小资料:春节。

春节是中国民间最隆重、最热闹的节日,由上古时代岁首祈年祭祀演变而来。新春贺岁围绕祭祝祈年为中心,以除旧布新、迎禧接福、拜神祭祖、祈求丰年等活动形式展开,喜庆气氛浓郁,内容丰富多彩,凝聚着中华文明的传统文化精华。

我国过年历史悠久,在传承发展中已形成了一些较为固定的习俗,有许多还相传至今,如办年货、扫尘、贴年红、团年饭、守岁、压岁钱、拜岁、拜年、舞龙舞狮、拜神祭祖、烧爆竹、烧烟花、攒春盛、年例、祈福、逛庙会、上灯酒、赏花灯等习俗。传统节日仪式与相关习俗活动,是节日元素的重要内容,承载着丰富多彩的节日文化内涵。

(2) 歌谣:过大年。

小孩小孩你别馋,过了腊八就是年;

煮八粥,喝几天,哩哩啦啦二十三;

二十三,糖瓜粘;二十四,扫房子;

二十五，冻豆腐；二十六，去买肉；

二十七，宰公鸡；二十八，把面发；

二十九，蒸馒头；三十晚上熬一宿；

初一带你满街走。

(3) 古诗：元日。

元日

王安石

爆竹声中一岁除，春风送暖入屠苏。

千门万户曈曈日，总把新桃换旧符。

(4) 传说：年兽。

传说在很早以前的古时代，有一种凶猛的怪兽，名字叫"年"，它生性非常的凶残，平时都在深山密林中活动，因为它还喜欢吃人，所以人们对它非常的害怕；不过幸好"年"一般只是每次的岁末三十的那天晚上才会出来，伤人性命，破坏田园，所以人们通常会在那天天还没黑的时候就关上了自己家的门，一直不睡觉到天亮，到第二天开门邻里就相互庆贺平安无事。在后来一次偶然的事件中，人们发现了"年"对爆竹和红色的东西非常的畏惧，于是从此每到除夕人们就会穿红挂红以示喜庆，并除旧迎新之时大放爆竹，后来"年"就再也不敢来了，这就是除夕的传说。在三十过后的那天就当作是农历正月初一的春节，也称为"过年"。

(5) 歌曲：新年好。

新年好

英国儿童歌曲

1=F 各音的音高位置（按首调唱法）

单元四　幼儿园教育活动评价

■ 学习目标 ■
1. 理解幼儿园教育活动评价的作用、原则和内容。
2. 掌握幼儿园教育活动评价的方式。
3. 能运用不同的评价方法对幼儿园教育活动进行评价。

■ 政策导入 ■
教育计划和教育活动的目标是否建立在了解本班幼儿现状的基础上。

教育的内容、方式、策略、环境条件是否能调动幼儿学习的积极性。

教育过程是否能为幼儿提供有益的学习经验,并符合其发展需要。

教育内容、要求能否兼顾群体需要和个体差异,使每个幼儿都能得到发展,都有成功感。

教师的指导是否有利于幼儿主动、有效地学习。

■ 基础理论 ■

项目一　幼儿园教育活动评价概述

幼儿园教育活动的评价,是针对幼儿园教育活动的特点和组成要素,通过收集和分析幼儿园教育活动各方面的信息,科学地监测和判断幼儿园教育价值和效益的过程;也是对幼儿园教育活动目标、教育活动内容、活动材料、活动效果以及教学活动过程的实际运行状况等的判断和评定过程。评价者在整个评价过程中,要始终树立正确的幼儿园教育活动评价观,不断反思和提升,使评价能更好地适应儿童的发展和教育活动的改善。

一、幼儿园教育活动评价的含义

幼儿园教育活动评价是指在一定教育价值观的指导下,基于适宜的教育目标,运用可操作的科学手段,通过使用一定的工具、技术和方法,系统收集信息资料并进行分析整理,对各种教育活动设计、实施过程及结果进行科学判定,从而实现自我完善并有效提高教育活动质量的过程。幼儿园教育活动评价是以幼儿园评价为主体,是对幼儿园内部教育的一种评价活动。这一定义表明:幼儿园教育活动评价是一个过程,一种有系统,有一定程序的过程;教育活动评价以评价对象的具体活动设计、过程和效果进行价值判断为核心;教育活动评价以科学的评价方法、技术与工具为手段;教育活动的评价最终目的在于不断完善并提高被评价对象的教育活动质量。

二、幼儿园教育活动评价的作用

(一)诊断作用

教育评价的诊断功能是指通过评价,揭示、发现幼儿园教育活动过程中存在的问题,并根据一定的价值观对这些问题进行分析和诊断,以便教师明确教育的症结所在,在下一阶段的教育中加以改进。教师通过对幼儿园教育活动的评价,可以及时而敏锐地发现新问题、新情况,判断每一个环节是否有效,验证活动目标、内容、方法、环境是否与幼儿的年龄特点、认知特点以及经验水平相适应。

(二)改进作用

根据教育评价专家泰勒(Tyler)的观点,目标、教育过程和教育评价三者形成了一个"闭环结构"。教育活动由预定的教育目标决定,评价是将实际教育结果与教育目标进行对照,检测教育活动偏离预定目标的程度,以确定通过什么样的改进措施来更好地达成目标。

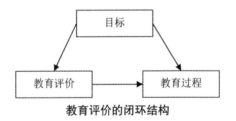

教育评价的闭环结构

上图表明,教育活动是一个循环往复、持续不断的过程,同时也是一个螺旋上升的过程。目标是评价的依据,评价则是达到目标的重要手段。教育评价不仅能评价教育的结果,还能实施补救教育、个别教育,为进一步调整教育活动提供依据。评价的最终目的不是鉴定"优"或"劣",而是提高教育质量。因此,评价过程是一种评价者与被评价者互动的过程。

(三)调控功能

幼儿园教育活动评价具有调控功能,即通过对教育活动整个过程进行全面而科学的测评、估量、评价,了解幼儿园制定的教育活动目标、内容和方法等是否符合幼儿的年龄特点,教育活动是否达到了预期的效果,并根据反馈的信息,不断改进和提高教育活动工作。即通过评价,考察幼儿园的教育活动是否有效、教师质量如何、幼儿的发展状况怎样等方面,发现优点和不足,以便在今后的工作中进行改进。

有比较才能有鉴别,才能在比较和鉴别中显示其本身的价值。教育管理层、教育研究者和教师若把幼儿园教育活动的评价作为一种持之以恒的自觉行为,就能够在对不同幼儿园教育活动形式和方法的评定、比较中,探讨不同教育模式的价值和优势,以便更好地促进幼儿园教育的发展。此外,教师若能够在幼儿园教育活动的每一次实施中从教师、幼儿、环境和材料等方面做出一定的评价,并以此为基础进行下一层次教育活动的设计和实施,就可能避免"走弯路",使教育活动产生最优化的效益,再者,经常性的评价也能作为一种积累,为幼儿园及同行的交流提供实用的参考信息,进而影响和促进幼儿园课程的发展、应用和推广。

三、幼儿园教育活动评价的原则

(一)计划性原则

幼儿园教育活动评价的目的是更好地推动和促进幼儿园教育活动。无论是行政部门的评价、教育同行间的评价还是教师的自我评价,其最终目的都是为总结经验,找出问题和确定改进的方向,因此,评价必须有明确的目的和计划,幼儿园教育活动在教师的自我调节和控制过程中,不断地向更加科学、更加完善的方向发展。

(二)针对性原则

对幼儿园教育活动的评价要有针对性。即评价必须是针对一定的具体问题或课而展开的,评价可以围绕当前教育活动中存在的主要问题,也可以针对某一个具体的教育内容领域,还可以针对某个活动对象,从而达到促进问题的解决和改善的目的。

(三)全面性原则

全面性原则是指在实施幼儿园教育活动评价时,既关注评价的内容是否涉及幼儿的全面发展,又应包括评价者所搜集信息渠道的全面性和评价主体参与的全面性。在教育实践的动态发展过程中,教育评价必须连续不断地对幼儿园教育活动的组成部分和各个构成要素进行全面的评价。作为评价者,既要对幼儿学习和发展情况进行评价,又要对教师的教学和指导进行评价;既要对幼儿在教育活动中的行为和表现进行评价,又要对幼儿在日常环境中的表现进行观察和评价;既要对幼儿在活动中的能力、兴趣、情感等方面的表现进行一般的、整体的评价,又要关注幼儿在学习上的差异性,对个别幼儿进行特殊的评价;既要对教育活动的目标以及环境和材料的选择、利用进行评价,又要对教育活动的形式、方法以及教师与幼儿的互动关系进行评价;既要对静态的活动要素进行评价,又要对动态的活动过程进行评价;既要使评价能够及时地发挥诊断的作用,又要保证评价不挫伤幼儿的自尊心和降低其心理安全感。

(四)科学性原则

科学性原则是指评价者在幼儿园教育活动评价的实施中,不能单凭主观判断或直觉经验来判定教育活动质量或幼儿的发展水平,应采用较科学的手段、方法和工具来展开评价。贯彻科学性原则应注意以下几点。

第一,对评价对象、评价内容以及评价标准应有全面、深入的考虑,应当明确本次为什要评价、要解决哪些问题、需要哪些准备工作,以及采用哪些方法或测量评估的手段等。

第二,注意所选择的评价方法和手段应具有明确的科学标准。

第三,综合考虑教育活动中各因素之间的相互关系和作用对评价结果的影响,将定性评价和定量评价相结合实施评价。

(五)情境性原则

情境性原则是指评价者在对幼儿园教育活动评价的实施中,应考虑影响和评价结果的各种因素,并结合评价对象所处的真实情境对其实施评价。贯彻情境性原则应注意以下几点。

第一,跟踪幼儿的真实生活和学习情境,观察并记录他们在实际情境中的参与、操作、交流、合作、体验等方面的真实状况,并在此基础上做出分析和评价。

第二,关注幼儿的学习过程,从而凸显评价的诊断功能,以便给幼儿提供有效的反馈和建议。这就要求评价者在评价过程中体现出评价的过程性和现场性。

第三,将评价整合在师幼的一日活动之中,成为教师教学、幼儿学习的一部分。

(六)差异性原则

差异性原则是指评价者在承认每个评价对象存在差异性的基础上,将评价对象的差异性作为评价的基础,开展有差异性的评价活动,以适应不同评价对象的不同需求,促进评价对象的个性化发展。贯彻差异性原则应注意以下几点。

第一,承认并尊重评价对象发展之间存在的差异性。这是通过评价促进不同评价对象发展的前提条件。

第二,充分尊重并体现评价对象的主体性。

第三,注重评价的客观性与公平性。

第四,关注让每位评价对象通过教育活动体验到成功感。

(七)发展性原则

发展性原则是指评价者依据正确的教育价值理念,运用合理的评价方法与艺术,在充分尊重客观事实的基础上对评价对象的发展进行价值判断,以促进评价对象不断达到自我认识、自我完善和自我发展的过程。贯彻发展性原则应注意以下几点。

第一,强调发展性。

第二,注重正式评价与非正式评价相结合。

第三,重视各种评价类型的灵活应用。

项目二　幼儿园教育活动的评价内容

幼儿园教育活动的设计与实施是实现培养目标的重要途径。其评价内容主要包括幼儿发展水平、学习品质和教育活动三个方面。

一、幼儿发展水平的评价

《指南》以幼儿后继学习和终身发展奠定良好素质基础为目标,以促进幼儿体、智、德、美各方面的协调发展为核心,从健康、语言、社会、科学、艺术五大领域描述幼儿的学习与发展。《指南》为幼儿发展水平评价提供了基本遵循,但不是标准。在对照《指南》评价幼儿的发展水平时应充分重视幼儿在发展中的个体差异,关注幼儿学习与发展的整体性,体现以幼儿为本。评价的目的就是要促进每位幼儿的发展,支持和引导幼儿从原有水平向更高水平发展。

二、幼儿学习品质的评价

根据幼儿学习品质的内容,将学习品质的具体评价指标分为好奇心与学习兴趣、坚持与专注、想象与创造、主动性、反思与解释五个维度。

(一)好奇心与学习兴趣

幼儿的好奇心与学习兴趣一般是指幼儿寻求新信息的兴趣,即在面对新的人、事、物时,进一步学习、探索的兴趣。幼儿好奇好问,教师可以根据幼儿提问的频率,提问的类型、所提问题的质量、如何面对自己所提出的问题等角度来间接考察幼儿的好奇心与学习兴趣。比如,有的幼儿爱问,有的幼儿较少提问;有的提"是什么"的问题,有的提"为什么"的问题,还有的提"怎么样""怎么办"之类的问题。幼儿提问题的质量关系到幼儿思维发展水平,有的还会自己探索答案,甚至会通过调查、对比、实验、查阅资料等多种方式来验证自己的答案。

(二)坚持与专注

坚持是指个体在行动中坚定不移、坚持不懈、努力克服一切困难和障碍,完成既定目标的品质。专注是指一个人的注意力,即一个人专心于某一事物或活动时的心理状态。在专注状态下,一个人通常只关注自己关注的对象。学前幼儿的坚持与专注品质尚在发展之中。学前期是培养幼儿坚持与专注品质的重要时期。学前幼儿的坚持与专注具体表现为在完成任务的过程中能够坚持,能够集中注意力,不容易被干扰或感到沮丧等。坚持与专注品质与幼儿的任务意识有关,如游戏中幼儿的专注力与坚持性都比较好。

(三)想象与创造

想象是指在头脑中对已有表象进行加工、改造、形成新形象的心理过程。创造是指产生新思想、发现和创造新事物的能力。对学前幼儿来说,创造是在再造的基础上进行的。对学前幼儿想象与创造品质的考察,主要是评价幼儿是否会运用想象与创造迁移到新的学习之中,解决新的矛盾和问题。比如,在解决问题遇到困难时,幼儿是否会尝试用其他方法来解决问题,在一定程度上看出幼儿是否会运用想象与创造。

(四)主动性

主动性是指个体面对任务时表现出来的积极程度。学前幼儿的主动性对今后的学习具有重大影响。与主动相反的是被动,即要在他人推动之下才能做事。学前幼儿学习主动性的重要表现之一是面对任务的态度。比如,学前幼儿是否愿意参与各种游戏活动,在学习新知识时是否主动投入等。当然,这与活动本身是否能引起幼儿兴趣有关。幼儿对喜欢的活动或任务总能表现出极大的积极性,如喜欢玩的游戏。另一类是幼儿不一定喜欢,但是必须要完成的任务,如收拾、整理玩具等。要注意的是,敢于尝试合理冒险的活动,对幼儿主动性是一个挑战;幼儿的鲁莽、粗心不是主动性的表现。

目标是主动性的核心要素。对于学前幼儿来说,能够制订计划并根据计划行动,也是幼儿学习主动性的一种表现。

(五)反思与解释

学前幼儿的反思与解释,涉及幼儿对已经发生的事情以及已有的言行、思想的认识,属于心理学里元认知的范畴,涉及幼儿是否能借助已有的经验进行下一步的学习。善于学习的幼儿往往善于反思与解释。

反思与解释指向的是幼儿能借助经历过的事情来帮助自己学习,帮助自己解决问题。反思与解释既可能是指向自己的,又可能是指向他人的,比如,反思与解释他人为什么会这样做,他人当时在想什么等。

不同的人从经验中学习的倾向是不同的。有的人善于从经验中学习,有的人学过就过了。经验既可以来自自己,又可以来自他人。学前幼儿的经验主要来自自身游戏和生活体验。

学习品质评价的目的不是对幼儿的学习品质进行好坏的区分,而是了解幼儿学习品质的现状,以便有针对性地采取措施提升幼儿的学习品质。

学习品质评价的内容要全面,不仅要对学习品质的五大系统进行评价,还要对影响学习品质的关键因素(如幼儿的家庭环境和幼儿园教育)进行评价。

三、幼儿园教育活动的评价

(一)活动目标的评价

活动目标是由教师按照一定的教育要求和幼儿发展的需要制定的一种对活动结果的期望。在活动目标的评价中,可以从三个方面入手:一是评价活动目标与幼儿园教育的总目标、年龄阶段目标以及单元目标是否有紧密的联系;二是评价活动目标是否涵盖了认知、情感与态度、动作与技能三个方面;三是评价活动目标是否与幼儿的实际情况相匹配。

对活动目标的评价

幼儿园教育活动的目标体系是一个完整而有序的统一体。每一个活动目标都是总目标、年龄阶段目标的具体化;每一个活动目标的实现都是向阶段目标和终极目标迈进了一步。因此,在评价幼儿园教育活动时,必须从目标体系的统一性出发,分析该目标与其上一级目标的联系,来提高评价的整体性。

虽然年龄阶段目标概括的是某一具体年龄幼儿一般的发展趋势和教育要求,但是不同的班级、不同的幼儿存在一定的差异性。因此,评价活动目标还必须看目标是否符合本班幼儿的实际水平。如大班科学教育活动目标中"在成人的帮助下能制订简单的调查计划并执行。"

这一目标,教师就要根据班级的实际情况区别对待。若班级不善于制订调查计划的幼儿较多,同时大多数幼儿没有制订调查计划方面的经验,那么,就不宜盲目地进行目标的设立,而应相应地降低要求,将目标化解为若干个分层递进的分目标来实施。

(二)活动内容的评价

活动内容是实现活动目标的中介。评价幼儿园教育活动的内容,主要是指对活动内容选择和设计两方面的评价。首先,要评价活动内容是否与幼儿园教育目标相一致;是否与幼儿园教育所涉及的范围、领域相一致;是否与幼儿的能力水平相一致。其次,还要评价对活动内容的设计和组织,评价在一个具体的幼儿园教育活动中各部分内容间的比例关系是否合理;评价活动内容与活动形式是否相适应;评价活动内容的组织安排是否突出了重点、难点;评价活动内容各个部分之间的过渡衔接是否流畅等。

(三)活动方法的评价

活动方法是实现活动目标的手段和途径。它既包括教师主动的引导和教学的方法,又包括幼儿主体的探索和操作的方法。评价活动方法主要表现在以下几个方面:一是评价方法的选择和运用是否与活动的目标和内容相呼应;二是评价方法的选择和运用是否顾及了幼儿的年龄特点和接受水平;三是评价方法是否强调并体现了幼儿的自主性和主体性;四是评价方法是否注意到了与教育活动环境和有关设备相联系。

(四)活动过程的评价

幼儿园教育活动过程是一个综合而复杂的过程。对活动过程的评价也是一个动态的评价过程,涉及教师、幼儿以及其他方方面面。一般来说,评价活动过程主要表现在以下几个方面。

1. 评价教师的行为

评价教师的行为主要是指对教师在活动过程中的教态、精神面貌做出一定的评价。评价者可以观察教师在活动中的教态是否亲切自然、精神饱满;是否能正确而清晰地讲解从而调动幼儿的积极性;能否巧妙、熟练地运用角色的变化引导幼儿学习;能否设置一定的提问从而有效地激发幼儿的独立思考等。

2. 评价活动中的师幼互动

评价活动中的师幼互动主要是分析与评价教师在活动中是否注意到了为幼儿创设适宜的活动环境,来引发幼儿的主动学习;是否注意到了在活动过程中充分地激发幼儿的兴趣、意志、自信、独立等良好的心理品质;是否注意到了活动中与幼儿的情感交流以及为幼儿之间的情感交流创设机会和条件等。

3. 评价活动的组织形式

评价活动的组织形式主要是分析和评价在教育活动的展开过程中,教师是否适当地采用了集体活动、合作活动以及个别活动等多种形式的变化;是否在活动过程中体现了因材施教;是否注意到了不同组织形式中幼儿的人际交往等。

4. 评价活动的结构安排

评价活动的结构安排主要是评价活动的结构安排是否紧凑、有序;是否注意到了每一个环节和步骤之间的层次性、系列性、递进性;是否体现了结构安排上的动静交替等。

5. 评价活动环境和材料

活动的环境和材料与活动的目标、内容有着必然的联系。在幼儿园教育活动的评价体系中也包含着对活动环境和材料的评价。评价活动环境和材料主要表现在以下五个方面:①环境和材料的选择与设计是否能体现幼儿园教育活动目标的达成和与教育活动内容相适应;②环境和材料的选择与设计是否能适合幼儿的实际需要及操作能力;③活动的材料或道具是否适合教育活动的展开,能够在数量上有所保证;④环境和材料是否得到了最大限度的开发和利用,即是否充分地发挥了作用;⑤是否注重心理环境的创设,包括幼儿自由的空间、结构与秩序、真实与自然、和谐的氛围。

6. 评价活动效果

评价活动效果主要是指从幼儿方面反映出来的教育结果。评价活动效果主要表现在以下三个方、面:①评价幼儿在活动过程中的参与和学习态度——注意力是否集中,表现是否积极、主动;②评价幼儿在活动过程中的情绪、情感反应——精神是否饱满,情绪是否愉快、轻松;③评价活动预期目标是否达成。

项目三 幼儿园教育活动的评价方式与方法

一、评价的方式

(一)终结性评价

1. 终结性评价的概念

终结性评价是在一段时间的学习后为衡量教学效果而进行的评价,其目的是用于评定幼儿对一个学期、一个学年或某个学习课题的目标达成的程度,判断教师所用的教学方法是否有效,并全面评价幼儿的学习效果。

2. 终结性评价的特点

(1)评价的标准清晰。终结性评价的对象是一些可被测量的行为,有一定的评价标准,并且评价标准很清晰、具体,可操作性相对较强,因此,该评价方式非常有利于教师的操作。当前,很多幼儿园教师仍然沿用终结性评价方式对幼儿的发展进行量化评价。例如,一个幼儿园教师想评价幼儿的手眼协调能力,便组织一次比赛,比赛的内容是让幼儿在短时间内用筷子夹豆子,谁夹得多,谁的手眼协调能力就越强。

(2)过于关注行为结果。终结性评价的视角集中于清晰的行为目标,并用前测确定幼儿的发展水平,用后测考查教育的效益,可供课程决策人员制订计划时参考,但容易导致操作者只关注行为结果,忽略在过程中彰显的各种内隐的价值。例如,一些幼儿园为迎合家长的错误需求,以识字量的多少、运算速度等为评价标准,结果,幼儿在成长、学习过程中所彰显的意志品质、耐心、学习方法、情感态度都被显性的评价遮盖。

(3)具有一定的滞后性。教育这个领域最大的特点就在于具有滞后性,教育的成效如何无法及时通过评价有效获得,对评价的内容解读也需要较长的时间,因此,教育活动实施后采取的改进策略也具有相对的滞后性,难以及时、有效地调整教育评价方式或标准。

(二)形成性评价

1. 形成性评价的概念

形成性评价是在课程发展过程中收集各个要素的相关资料,加以科学分析和判断,以此调整和改进课程的方法。

2. 形成性评价的特点

(1)关注学习过程。形成性评价关注学生学习过程中的学习方式,通过对学习方式的评价,将学生的学习方式引导到更深层次的方向上。比如,形成性评价中的学生自评、互评的方法,促使学生逐步掌握正确的学习方式,树立正确的学习目标,总结出适合自己的学习策略,从而真正提高学习的质量与效果。

(2)重视非预期结果。形成性评价将评价的视野投向学生的整个学习经验领域,认为一切有价值的学习结果都应当得到评价的肯定,而不管这些学习结果是否在预订的目标范围内,其结果是,学生的学习积极性大大提高,学习经验逐步增强,这正是现代教学所期待的最终目标。

(3)贯穿始终。形成性评价贯穿学习的始终,不仅有利于评价的开展,还有利于学生逐步形成可持续的评价观念,逐步掌握正确的评价方法,逐步将评价融为自己的学习生命的一部分,成为自己终身学习和终身发展的重要评价方式。

(4)所收集的资料和判断的标准可能都会因时而变、因人而异。形成性评价如采用开放式或表现式的评价,其标准无法做到统一,其评价的过程和程序无法做到规范,选择的材料也会因为时间、地点的变化而变化。

二、评价的方法

幼儿园教育活动的评价方法有观察评价法、情境测验法、叙事性评价法、作品分析法、成长档案袋评价法等。在评价活动中,要根据需要综合运用不同的评价方法。

(一)观察评价法

观察评价法是指幼儿在真实的自然情景中活动,教师直接观察幼儿的行为,从中获取评价资料的方法。可以在幼儿一日各种活动中捕捉到所需的事例,也可以不定期地观察幼儿的行为表现,如在游戏中观察幼儿的自主行为、探究行为、与同伴合作、克服困难等行为,观察了解幼儿的游戏发展水平,为教师适时介入提供依据。

幼儿园教师通过观察评价法了解幼儿在教育活动中的行为,是最常用、最客观、最自然的方法。它特别适合幼儿教师通过日常教育活动搜集幼儿发展的有关信息。如教师观察评价幼儿的游戏水平,了解幼儿在游戏中的探索、思考、运用经验解决问题、与同伴交流合作等信息。观察评价法的优点是获得的材料比较真实;缺点是由于没有控制条件,有时并不能完成观察任务。

(二)情景测验法

情景测验法是指在教育实践中,按照研究目的,控制和改变某些条件,将幼儿置于与现实生活场景类似的情景中,由教师观察特定情景中幼儿行为的方法。如研究中班幼儿在集体教育活动中的专注力发展状况,教师设计集体教育活动计划并根据计划开展活动,全面观察或局部观察幼儿在集体教育活动中的行为表现,根据幼儿的表现进行记录,分析幼儿专注的时间和质量,分析影响专注力的因素,以便于今后调整计划,提高集体教育活动的有效性。情景测验法的优点是可与幼儿园教育活动相结合,教师可控制实验条件,幼儿处于自然情景中,因而可以观察到幼儿的自然表现。但应注意,幼儿在一定情景下的行为反应不能完全作为幼儿在其他测验和生活情景中行为的精确预测。

(三)叙事性评价法

叙事性评价法,有时又称"学习故事",是关于幼儿学习与发展的评价手段和方法,以建构主义理论为基础,并在一定程度上受到情景理论的影响。由于个体在学习中不是去习得知识固有的意义,而是自己建构有关世界的意义,因此缺乏情景的学习对幼儿来说是没有意义的。叙事性评价法试图通过连续描述幼儿在真实情景中的行为来展示幼儿的学习与发展状况以及学习与情景的多方面联系,强调对幼儿的学习与发展进行全面和整体的观察和评价。

撰写学习故事既是一个倾听幼儿、教师、家长声音的过程,又是幼儿、教师、家长共同参与合作的过程。学习故事要求在一日生活中不断地"注意、识别、回应"幼儿的学习与需要。

叙事性评价法提供了一种特定的理解、看待和解读幼儿的方法。当教师与他人(包括幼儿在内)分享和交流这种叙事记录时,所有参与交流的人是在共同建构和重新建构幼儿的身份。它关注的是幼儿能做什么,而不是幼儿不能做什么,这样更清楚地展现了幼儿的优势。

叙事性评价法作为一种记录幼儿学习的评价方式,特点主要表现为:以叙事形式呈现;关注幼儿的兴趣;围绕对学习的"注意、识别和回应"展开;用于为个体和集体学习制订计划;幼儿能够参与评价;与家庭成员分享幼儿的学习经验。

(四)作品分析法

作品分析法是根据幼儿的各种作品(如图画、泥塑、所编故事、儿歌等)分析幼儿的发展水平或检测教育活动效果的一种方法。例如,观察金鱼的生长变化并做观察记录,通过幼儿的记录分析幼儿观察的细致性、准确性、系统性,了解幼儿坚持性、独立性等品质的发展状况。再如,通过对幼儿科学探索和技术操作作品的分析,综合了解幼儿在各个方面的发展。如"我的影子朋友"活动中,教师观察幼儿画出的影子,分析幼儿的兴趣点、经验的迁移、活动中的位置、同伴间的合作等。作品分析法的优点在于资料较易收集,教师有足够的时间对幼儿的作业进行分析、比较,使评价更加客观准确。

(五)成长档案袋评价法

成长档案袋评价法是教师根据教学目标和计划,通过有目的、有计划地收集幼儿作品,展示幼儿在一段时间内发展进步的历程,从而有效促进幼儿在知识、技能与态度、情感、价值观等诸方面协调发展的评价方式。成长档案袋评价法具有全面性、真实性和情境性的特点。尽管我国学者对档案袋理解不同,但它基本涵盖以下内容:第一,目的性强。成长档案袋评价法是教师根据教学目标和计划,有目的、有计划地选择、收集幼儿作品。第二,评价主体多样化。参加评价的主体可以是教师、幼儿或家长。第三,重情感态度的发展。与传统的评价方法相比,成长档案袋评价法不仅考察幼儿在知识、技能方面的发展,而且可以考察态度、情感、价值观等方面的发展。

实践活动

1. 观摩幼儿园的一个教育活动,试从活动目标、活动内容、活动方法、活动过程、活动环境和材料、活动效果等几个方面进行评价。

2. 结合教育见习或实习,尝试使用多种评价方法对幼儿的发展进行评价。

拓展阅读

全国职业院校技能大赛(高职组)
"学前教育专业教育技能"赛项评分标准(节选)

项目3 幼儿园教育活动设计(共35分)

内容		评价标准		分值
教育活动设计 15分	主题网络图	1. 能充分运用给定的资源,并能依据自己对主题的认识,拓展相关的资源。	2	5
		2. 主题网络图绘制具有丰富性、科学性、具体化和操作性等特点,充分考虑到生活化、兴趣性、适宜性、幼儿主体性和家园合作等因素。网络图至少有三个层级(包含主题名称一级),第二、三层级至少有三个活动以上。	3	
	活动目标	1. 活动目标符合《纲要》和《指南》精神,符合各领域的总目标和幼儿年龄阶段特点,切合幼儿的发展水平和发展需要。 2. 具有全面性,能围绕给定的主题,难度适当,对整个活动具有导向作用。 3. 陈述简洁明了、主题突出、针对性强、具体可操作,充分体现本领域特点,能考虑到各领域间相互渗透。		2
	活动准备	1. 活动前的知识储备、环境创设(墙饰布置、区域材料准备、活动材料准备、空间安排等)均符合实现教学活动目标的要求。 2. 环境材料适宜,最大限度地支持和满足幼儿学习、探索、操作活动的需要。 3. 有效利用现代化教学手段,适用、适时、适当地增加活动的实效性和趣味性。		2

续表

内容		评价标准	分值	
教育活动设计 15分	活动过程	1. 过程设计结构严谨，层次清晰，各环节之间过渡自然流畅，体现循序渐进，有层次感。	1	4
		2. 教学方法和活动组织形式选择适宜，能体现幼儿的主体性，为幼儿提供感知与操作的机会，安排充分的思考和探索时间。	1	
		3. 提问具有思考性、启发性、开放性特点；能预测教学活动过程可能出现的问题并能设计出相应教学活动策略。	1	
		4. 活动详略得当，重难点突破时间充分，能较好地突出重点，突破难点；教学手段设计针对性强，既适合于幼儿的认知特点，支持幼儿的学习，又有利于学习目标的达成。	1	
	其他	1. 文字表述逻辑清楚，格式规范完整，无错别字。 2. 活动设计新颖，教学方法巧妙独特，有一定创新和突破。	2	
评分分档		设计合理，层次清晰，目标明确，符合幼儿特点。	13～15	
		设计较合理，层次较清晰，目标较明确，基本符合幼儿特点。	10～12.9	
		设计一般，层次不太清晰，目标不够明确，不太符合幼儿特点。	7～9.9	
		该项未完成	0～6.9	
说课 20分	说内容	1. 能结合主题网络图、根据幼儿年龄特征和发展水平阐述内容选择的理由。 2. 能正确分析、理解教学活动内容（素材）。 3. 在客观分析幼儿的发展状况和已有经验的基础上，充分挖掘教材的价值，选取适合幼儿学习的内容。	4	
	说目标	1. 阐述目标的具体内容并说明目标制定的理由和依据。 2. 准确把握重点和难点，说明确定重难点的理由和解决重难点的方法和策略。	4	
	说过程和方法	1. 能清晰说明各环节的设计与目标达成的关系。	3	8
		2. 能清楚阐述主要的教学方法及选用的理由。	3	
		3. 合理设计，准确预估教学效果，措施得当，应变性强。	2	
	现场表现	1. 仪表大方，举止文雅，表情自然、丰富，有亲和力。 2. 语言规范，条理清楚，逻辑性强，表达流畅，有感染力。 3. 时间把握准确（超时相应扣分）。	4	
评分分档		思路清晰合理，符合领域特点和幼儿特点。	18～20	
		思路较清晰合理，基本符合领域特点和幼儿特点。	15～17.9	
		思路清晰合理欠缺，不太符合领域特点和幼儿特点。	12～14.9	
		该项未完成	0～11.9	

案例评析

案例一 幼儿学习品质评价表

类别	行为表现	适应程度				
		5	4	3	2	1
积极主动	积极主动的参与活动					
	面对新的"任务"时，表现出的积极的态度					
	主动和小朋友一起玩耍					
	主动的和他人合作、分享					
	需要得到他人的要求或提醒，才能参与活动					
认真专注	能长时间集中注意力于某件事情					
	参与活动能不被其他人或事干扰					
	能够坚持完成"任务"					
	做事情，半途而废					
	认真倾听他人的发言					
不怕困难	面对困难，想办法解决					
	遇到困难，寻求老师家长的帮助					
	即使有困难也不放弃					
	遇到困难，反复尝试解决问题					
	害怕困难，遇到了就直接放弃					
敢于探究与尝试	在活动中，探究新事物					
	对周围的事物和现象，敢于尝试					
	面对未知的事情，敢于探究					
乐于想象和创造	爱思考，喜欢开动脑筋					
	在活动中，喜欢提问					
	通过已有知识经验，想象并创造新的东西					
	自己对认识的事物能有奇思妙想					

注：5—总是，4—常常，3—偶尔，2—很少，1—从来没有。

案例二　幼儿园教育活动评价表

班级＿＿＿＿＿＿　活动名称＿＿＿＿＿＿　教师＿＿＿＿＿＿

评价项目	评价标准	总分100分		
		分值	得分	小计
教育目标 10%	活动目标凸显本领域教育价值，能体现多元化、层次化，注重促进幼儿知识、能力、情感等方面的全面发展。	5		
	目标定位明确、具体，体现适宜性、可操作性。	5		
教育内容 10%	选材符合幼儿兴趣、现实需要和发展水平，有一定的挑战性。	5		
	内容能围绕教育目标，体现教育领域的相互渗透，兼顾群体需要和个体差异。	5		
教育过程 50%	活动的方式手段合理恰当、有效。	10		
	活动中各环节清晰，围绕目标层层递进，重点突出，时间安排合理。	10		
	为幼儿提供合适的环境、材料，满足幼儿操作需要，为幼儿创造自主探索、观察、情感体验的机会与条件。	15		
	教师能观察幼儿，根据幼儿需要提供有效支持，师幼互动积极良好。	15		
活动效果 10%	幼儿在活动中情绪愉快、态度积极，参与意识强，各种能力在原有水平上得到提高。	5		
	活动目标能在过程中基本得以落实。	5		
教师素质 20%	教态亲切自然，与幼儿关系和谐融洽，善于鼓励调动幼儿积极性。	6		
	语言简练、规范富有感染力，提问简洁明了。	6		
	教师基本功扎实，调控活动能力强，有灵活的教学机制和应变能力。	8		
简要评析：		合计		

真题演练

1. 在教学过程中，王老师随时观察和评价幼儿的行为表现，并以此为依据调整指导策略，该老师采用的评价方式是（　　）。

　　A. 诊断性评价　　　　　　　　　B. 形成性评价

　　C. 标准化评价　　　　　　　　　D. 终结性评价

2. 幼儿园教师通过记录幼儿在日常生活,与活动中的表现来分析其心理特点,这种研究方法是(　　)。

A. 观察法　　　　B. 谈话法　　　　C. 测验法　　　　D. 实验法

3.《幼儿园教育指导纲要(试行)》提出幼儿园教育工作评价应当以(　　)。

A. 幼儿评价为主　　　　　　B. 家长评价为主

C. 教师自评为主　　　　　　D. 专家评价为主

参考答案:1—3 BAC

参考文献 References

[1] 成军,张淑琼.幼儿园教育活动设计与实施[M].北京:高等教育出版社,2016.
[2] 李钊.幼儿园教育活动设计与指导[M].北京:首都师范大学出版社,2020.
[3] 林炎琴.幼儿园教育活动综合设计与实施[M].上海:上海交通大学出版社,2018.
[4] 郦燕君.学前儿童科学教育[M].2版.北京:高等教育出版社,2014.
[5] 徐青,刘昕.学前儿童数学教育[M].3版.北京:高等教育出版社,2019.
[6] 周世华,王燕媚.学前儿童社会教育[M].3版.北京:高等教育出版社,2019.
[7] 许晓春.学前儿童美术教育[M].4版.北京:高等教育出版社,2021.
[8] 高庆春.学前儿童健康教育[M].4版.北京:高等教育出版社,2022.
[9] 姜晓燕,郭咏梅.学前儿童语言教育[M].2版.北京:高等教育出版社,2014.